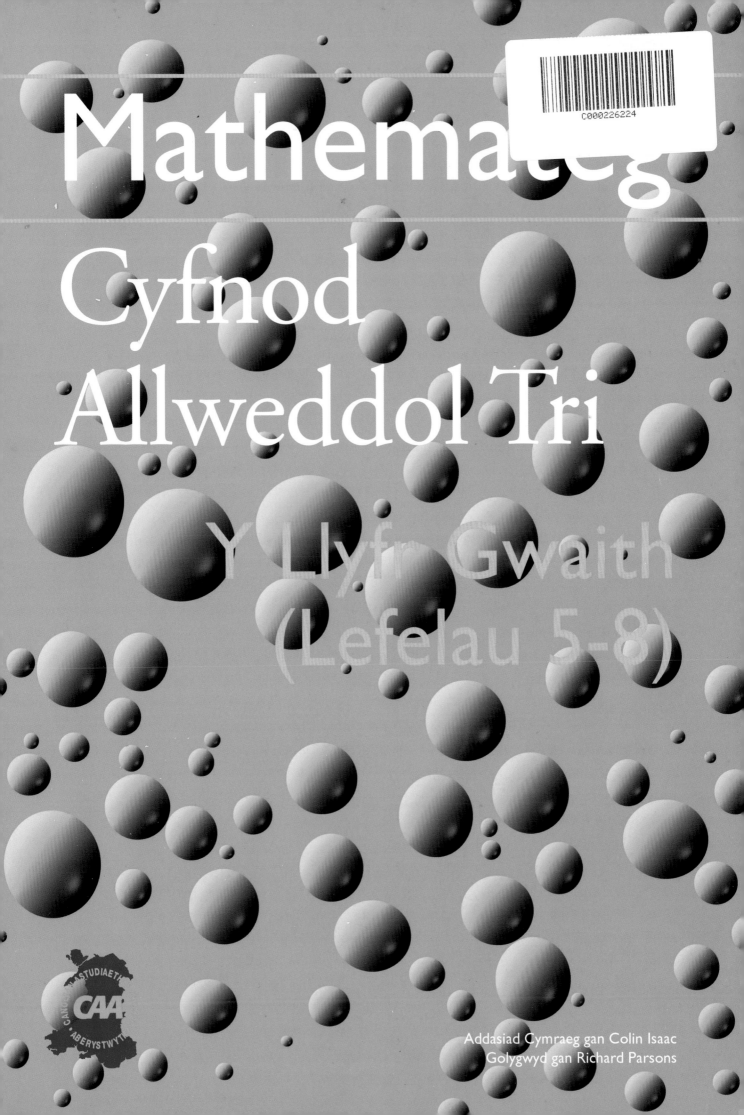

# Mathemateg
# Cyfnod
# Allweddol Tri

## Y Llyfr Gwaith
## (Lefelau 5-8)

Addasiad Cymraeg gan Colin Isaac
Golygwyd gan Richard Parsons

CAA
CANOLFAN ASTUDIAETHAU ADDYSG ABERYSTWYTH

Y fersiwn Saesneg:
Cyhoeddwyd gan Coordination Group Publications Ltd.
Arlunwaith gan Ruso Bradley, Ashley Tyson a Lex Ward
Cyd-drefnwyd gan June Hall Bsc PhD a Mark Haslam BSc
Cyfranwyr: Christopher Martin, Claire Thompson
Ffynonellau Clipluniau: CorelDRAW a VECTOR.

Y fersiwn Cymraeg:

Cyhoeddwyd gan y Ganolfan Astudiaethau Addysg, Prifysgol Cymru, Aberystwyth.

Cyhoeddwyd gyda chymorth ariannol Awdurdod Cymwysterau, Cwricwlwm ac Asesu Cymru (ACCAC).

Argraffiad cyntaf: Mai 2002

ISBN 1 85644 699 9

Addasiad Cymraeg gan Colin Isaac
Golygwyd a pharatowyd ar gyfer y wasg gan Janice Williams, Eirian Jones a Glyn Saunders Jones.

Dyluniwyd gan Owain Hammonds.

Aelodau'r Pwyllgor Monitro: E. Dianne Evans ac Elfed Williams

Argraffwyr: Gwasg Gomer

# Cynnwys

## 1.1      Lluosrifau a Ffactorau

**Hawdd iawn – dim ond i chi wybod eich tablau lluosi.**

1) Trefnwch y rhifau hyn yn 3 rhestr: lluosrifau 3, lluosrifau 4 a lluosrifau 5.

33   25   1016   164   21   63   10   39   175   50   4036   51   35   11144   110   512

  a) Yn lluosrifau 5, beth sylwch chi ynglŷn â'r digid olaf?
  b) Yn lluosrifau 3, beth sylwch chi ynglŷn â swm y digidau?
  c) Yn lluosrifau 4, beth sylwch chi ynglŷn â'r 2 ddigid olaf?

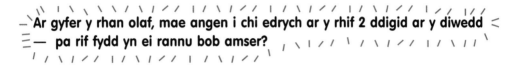

—Ar gyfer y rhan olaf, mae angen i chi edrych ar y rhif 2 ddigid ar y diwedd — pa rif fydd yn ei rannu bob amser?

2) Ydy 3 yn ffactor o 2001?

3) Beth yw lluosrif cyffredin lleiaf 8 a 12?

4) a) Ysgrifennwch 12 lluosrif cyntaf 6, a 10 lluosrif cyntaf 8.
  b) Ysgrifennwch unrhyw luosrifau cyffredin (y rhai sydd yn y ddwy restr).
  c) Ysgrifennwch y lluosrif cyffredin lleiaf.

5) a) Darganfyddwch holl ffactorau, mewn trefn, pob un o'r rhifau hyn: 12  18  24  30
  b) Rhestrwch y ffactorau cyffredin.
  c) Beth yw ffactor cyffredin mwyaf y pedwar rhif?

6) Darganfyddwch ffactor cyffredin mwyaf y setiau canlynol o rifau:
  a) 32 a 48.
  b) 45 a 105.
  c) 36, 84 a 132.

7) Beth yw ffactor cyffredin mwyaf 14 a 21?

8) Darganfyddwch holl ffactorau 300.

9) Mae Goleudy Craig y Morlais yn fflachio bob 25 eiliad ac mae Goleudy Craig y Diafol yn fflachio bob 40 eiliad. Os byddan nhw'n fflachio gyda'i gilydd, pa mor fuan y bydd hi cyn y byddan nhw'n fflachio gyda'i gilydd eto?

**Mae'r 2 hyn fwy neu lai yn gofyn yr un cwestiwn – mae angen i chi ddarganfod lluosrif cyffredin lleiaf y ddau gyfnod amser.**

10) Mae dwy set o oleuadau traffig y tu allan i dŷ Eric. Un diwrnod mae e'n amseru pa mor aml maen nhw'n newid. Mae Goleuadau A yn troi'n wyrdd bob 60 eiliad yn union. Mae Goleuadau B yn troi'n wyrdd bob 70 eiliad yn union. Ganol dydd yn union mae'r ddwy set o oleuadau'n troi'n wyrdd gyda'i gilydd. Faint o'r gloch fydd hi pan fyddan nhw'n troi'n wyrdd gyda'i gilydd nesaf?

# 1.8    Manwl Gywirdeb ac Amcangyfrif

7)    Dyma amlinelliad o olion traed rhai anifeiliaid.
      Mae pob sgwâr yn cynrychioli 1cm². Amcangyfrifwch arwynebedd pob ôl troed.

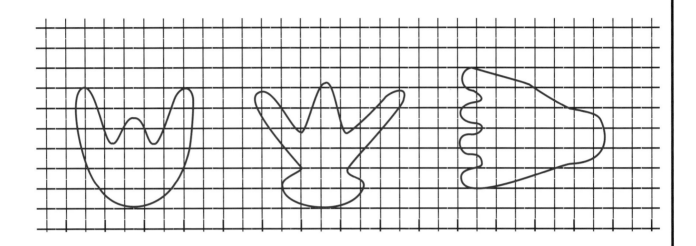

Mae'r rhain yn eithaf hawdd mewn gwirionedd – y cwbl
sydd ei angen yw cyfrif y sgwariau cyfan ac yna adio'r
hanner sgwariau... i ffwrdd â chi.

8)    Dyma fapiau 2 ynys. Mae pob sgwâr yn cynrychioli 1km². Amcangyfrifwch arwynebedd pob ynys:

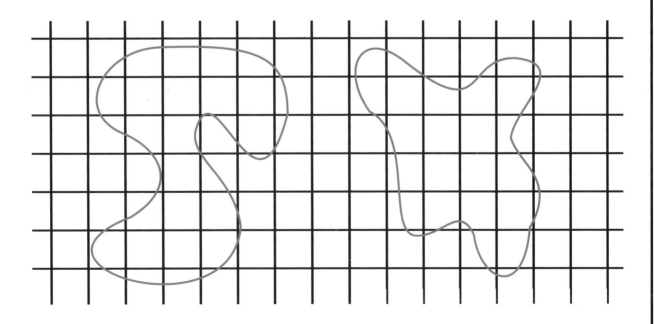

# 1.9 Ffactorau Trawsnewid

1) Trawsnewidiwch y mesuriadau hyn o cm i mm:
   a) 4.8cm
   b) 26.4cm
   c) 8.75cm
   d) 0.63cm.

2) Trawsnewidiwch y mesuriadau hyn o mm i cm:
   a) 76mm
   b) 185mm
   c) 3500mm
   d) 0.5mm.

3) Ailysgrifennwch yr hydoedd hyn yn fetrau:
   a) 145cm
   b) 350cm
   c) 85cm
   d) 5cm
   e) 2500cm
   f) 15.5cm.

**Dylech eisoes wybod y ffactorau trawsnewid hyn – <u>cofiwch</u> wirio bod eich ateb yn <u>synhwyrol</u> (h.y. nad oes gennych 1mm = 10cm)**

4) Trawsnewidiwch yr hydoedd hyn yn gentimetrau: 5m, 5.6m, 5.68m, 0.75m, 0.05m.

5) Ailysgrifennwch y pwysau hyn mewn gramau yn gyfan gwbl:
   a) 1.4kg
   b) 2.85kg
   c) 0.65kg.

6) Trawsnewidiwch y pwysau hyn yn gilogramau: 450g, 1450g, 2450g, 50g, 5g.

7) Mae cynllun strydoedd yn cael ei lunio yn ôl y raddfa 1 i 10,000 (h.y. mae 1cm ar y cynllun yn cynrychioli 10,000cm ar y ddaear).
   a) Faint o fetrau y mae 1cm yn eu cynrychioli?
   b) Faint o fetrau y mae pellter o 8.3cm ar y map yn eu cynrychioli?
   c) Mae milltir tua 1600m. Pa mor bell fydd 3/4 milltir ar y cynllun?
   d) Hyd cae yw 350m a'i led yw 250m. Beth fydd ei hyd a'i led ar y cynllun?

8) Mae map yn cael ei lunio yn ôl y raddfa 5cm i 1km.
   a) Pa bellter mewn metrau y mae 1cm ar y map yn ei gynrychioli?
   b) Faint o fetrau y mae 6cm ar y map yn eu cynrychioli?
   c) Pa bellter ar y map sy'n cynrychioli 1 filltir? (1600m)

9) Mae gwerth arian cyfred Wtopiar (y Rwy) yn gostwng yn gyflym.
   a) Ar sail y graff, cyfrifwch y gyfradd cyfnewid (Rwyau i'r bunt) ar Fawrth 1af, Ebrill 1af a Mai 1af.
   b) Pe bawn i wedi prynu gwerth £5.04 o Rwyau ar Fawrth 1af, beth fyddai eu gwerth mewn £ erbyn Mai 1af? (Anwybyddwch unrhyw daliadau comisiwn.)
   c) Erbyn Mehefin 1af graddiant y graff trawsnewid yw 240. Faint o Rwyau a gaf am £100?

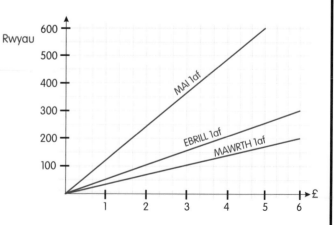

Ar gyfer <u>graff trawsnewid</u>, mae'r <u>graddiant</u> yr un peth â'r <u>gyfradd cyfnewid</u>.

# 1.10         *Metrig ac Imperial*

1)     Mae jwg fawr yn dal 3.0 litr o waed. Faint o wydrau 150ml y gellir eu llenwi o hon?

2)     Pwysau cyfartalog y teithwyr ar fws yw 58kg yr un. Os ydy'r bws yn llawn â 71 o deithwyr, beth yw cyfanswm eu pwysau mewn tunelli metrig?

3)     Mae'r gasgen ddŵr yn fy ngardd yn dal 15 galwyn o ddŵr glaw. Faint o litrau yw hyn?

4)     Trawsnewidiwch 18 owns yn gramau.

**Cofiwch, 16 owns yw pwys...**

5)     Cerddodd Gwion 9km mewn un diwrnod, a cherddodd Bob 5 milltir. Pwy gerddodd bellaf?

6)     Pwysau crochan mawr iawn ar gyfer teulu yw 8 <u>tunnell fetrig</u>, faint o <u>dunelli imperial</u> yw hyn?

**Oes, mae 'na gryn dipyn o waith cofio yma – ond mae gwir angen i chi wybod y <u>21 ohonynt</u>. Edrychwch ar Y Llyfr Adolygu (tud.11) a dysgwch nhw...**

7)     Mae'r tabl yn dangos y pellterau mewn milltiroedd rhwng 4 tref yn Yr Alban. Llenwch y tabl gwag â'r pellterau cywerth mewn cilometrau.

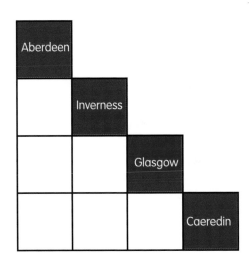

| Aberdeen | | | |
|----------|-----------|---------|---------|
| 105 | Inverness | | |
| 150 | 175 | Glasgow | |
| 125 | 155 | 45 | Caeredin |

| Aberdeen | | | |
|----------|-----------|---------|---------|
| | Inverness | | |
| | | Glasgow | |
| | | | Caeredin |

8)     Mae'r amserau isod wedi'u rhoi yn nhermau'r system 24 awr.
Gan ddefnyddio am neu pm, rhowch yr amser cywerth ar gyfer cloc 12 awr.

    **a)** 0415        **c)** 0230        **e)** 2145

    **b)** 1727        **d)** 1537        **f)** 0016

**Ychydig o ymarfer ar y rhain, i sicrhau nad ydych wedi'u anghofio – fyddech chi ddim am golli marciau hawdd, fyddech chi...**

Marciau Hawdd

9)     Mae'r amserau isod wedi'u cymryd o gloc 12 awr. Rhowch yr amserau cywerth ar gyfer cloc 24 awr.

    **a)** 10.15pm        **c)** 12.15am        **e)** 9.00am

    **b)** 11.07am        **d)** 12.15pm        **f)** 3.18pm

# 1.11            *Cymarebau*

1) Mae salad ffrwythau syml yn cael ei wneud fel bo 3 mefus a 5 darn melon ym mhob powlen. Copïwch a chwblhewch y siart isod:

| Nifer y powlenni | Nifer y mefus | Nifer y darnau melon | Cymhareb mefus i ddarnau melon * |
|---|---|---|---|
| 3 | | | |
| | 18 | | |
| | | 50 | |

*Yn ei ffurf rhif cyfan symlaf

> **Mae rhoi cymarebau yn eu ffurf symlaf yr un fath â chanslo ffracsiynau i lawr – a gallwch ddefnyddio'r botwm ffracsiwn ar gyfrifiannell i'w wneud.**

2) Mynegwch y cymarebau hyn yn eu ffurf rhif cyfan symlaf.
   a) 12 athro i 180 o ddisgyblion.
   b) 7 o griw awyren i 210 o deithwyr.
   c) 16 doctor i 32,000 o bobl mewn tref.
   d) 8 arweinydd i 120 o dwristiaid.
   e) 350g o flawd i 150g o siwgr.
   f) 30 oen i 180 o dwrcïod.

3) Ysgrifennwch, yn eu ffurf rhif cyfan symlaf, gymarebau dimensiynau'r petryalau yn y diagram hwn:

   a) **Wal:**      Hyd : Uchder
   b) **Drws:**     Uchder : Lled
   c) **Ffenestr:**   Uchder : Lled
   d) **Darlun:**    Lled : Uchder

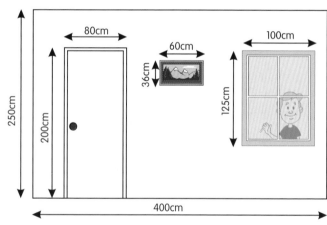

4) Mae Mrs Lewis am rannu ei gardd fel bo cymhareb gwelyau Maglau Gwener i welyau Codwarth yn 5 : 2. Cyfanswm yr arwynebedd yw 140m². Faint o arwynebedd fydd gan y naill flodyn a'r llall?

> **Ar gyfer cwestiynau 'rhannu rhywbeth yn ôl y gymhareb ...', gwiriwch eich ateb bob tro drwy adio'r rhannau ar y diwedd – os na chewch y swm gwreiddiol, mae rhywbeth o'i le.**

5) Mae tair nith gan Anti Mair, sef Sara, Cara a Lara, a'u hoedran yw 9, 12 a 15.
   a) Beth yw cymhareb eu hoedran yn y ffurf rhif cyfan symlaf?
   b) Mae Anti Mair am rannu arian rhyngddynt, yn ôl cymhareb eu hoedran. I faint o rannau cyfartal y dylai rannu'r arian?
   c) Pe bai'n rhoi cyfanswm o £60 iddynt, faint fyddai pob un yn ei gael?

6) O weithio mewn ffigurau bras iawn, mae tirfas y ddaear yn ymestyn dros tua 56 miliwn o filltiroedd sgwâr ac mae'r môr yn ymestyn dros tua 140 miliwn o filltiroedd sgwâr. Gan ddefnyddio'r ffigurau hyn, rhowch yn ei ffurf symlaf gymhareb:
   a) y tir i'r môr;        b) y tir i'r arwyneb cyfan;        c) y môr i'r arwyneb cyfan.

# 1.12        *Pwerau*

**1)** Cyfrifwch union werth:

  a) $2^5$     c) $4^2$     e) $3^4$     g) $10^5$     i) $8^3$     k) $7^3$

  b) $3^3$     d) $2^8$     f) $5^3$     h) $100^3$     j) $6^3$     l) $10^6$

**Arhoswch eiliad. Cyn i chi fynd ymhellach, gwnewch yn siŵr eich bod yn gwybod <u>y saith rheol ar gyfer pwerau</u> – fe'u gwelwch nhw yn Y Llyfr Adolygu (tud. 24), neu fe allech ofyn i'ch athro/athrawes.**

**2)** Symleiddiwch drwy dynnu indecsau; yna cyfrifwch yr union werth:

  a) $2^{10} \div 2^8$     d) $5^6 \div 5^4$     g) $10^{15} \div 10^{13}$

  b) $3^7 \div 3^5$     e) $7^{10} \div 7^9$     h) $100^4 \div 100^4$

  c) $10^{12} \div 10^9$     f) $4^6 \div 4^3$     i) $12^5 \div 12^3$

**3)** Symleiddiwch <u>gymaint ag sy'n bosibl</u> (gyda rhai, dim ond cael gwared â'r arwyddion $\times$ sydd angen ei wneud):

  a) $a \times a \times a$     f) $x \times y \times z$     k) $2 \times y \times x \times 4$

  b) $2 \times a \times a \times a$     g) $x \times x \times x \times y$     l) $3 \times p \times p \times 4 \times q$

  c) $3 \times 2 \times x \times x \times x$     h) $x \times x \times y \times y \times y$     m) $10 \times k \times j \times k \times j$

  d) $5 \times y \times 4 \times y$     i) $a \times b \times c \times 5$     n) $a \times b \times b \times a \times 3$

  e) $x \times y$     j) $3 \times x \times x \times 4 \times y$     o) $2 \times y \times x \times 4$

**4)** Symleiddiwch drwy dynnu indecsau:

  a) $x^{10} \div x^4$     c) $a^7 \div a^4$     e) $\dfrac{r^5}{r}$     g) $\dfrac{y^{10}}{y^9}$     i) $\dfrac{x^{10}}{x^5}$

  b) $y^5 \div y^2$     d) $\dfrac{b^6}{b^3}$     f) $\dfrac{y^{10}}{y^7}$     h) $\dfrac{x^{10}}{x}$     j) $\dfrac{x^{10}}{x^2}$

**5)** Symleiddiwch drwy <u>adio</u> indecsau a <u>lluosi</u> cyfernodau, lle bo'n bosibl:

  a) $3x \times 5x$     e) $12x \times 3x^2$     i) $7m^2 \times 3m$

  b) $2y \times 10y$     f) $4y^2 \times 5y$     j) $7m^2 \times 3n$

  c) $6a \times 5a \times 2a$     g) $2a^3 \times 3a^2$     k) $4a^2 \times 3a^5$

  d) $3a \times 5a \times 4$     h) $3p \times 2p^2 \times 4p^3$     l) $4a^2 \times 3b^5$

**6)** Symleiddiwch drwy <u>dynnu</u> indecsau a <u>rhannu neu ganslo</u> cyfernodau:

  a) $\dfrac{10x^4}{5x^3}$     b) $\dfrac{15a^5}{3a^2}$     c) $\dfrac{12b^4}{4b^3}$     d) $\dfrac{20k^5}{5k^2}$     e) $\dfrac{27x^5}{18y^5}$

**7)** Ysgrifennwch gan ddefnyddio indecsau negatif:

**Dydy 'cyfernod' ddim yn rhywbeth i'w ofni... mae'n golygu 'y rhif sy'n lluosi'r llythyren' – a dyna'r cwbl.**

  a) $\dfrac{1}{10^2}$     b) $\dfrac{1}{x^2}$     c) $\dfrac{1}{10^4}$     d) $\dfrac{1}{a^4}$     e) $\dfrac{5}{a^4}$

**Dysgwch y rheolau ar gyfer lluosi pwerau...**

**8)** Lluoswch y rhifau hyn yn eich pen, gan ysgrifennu unrhyw ffracsynau yn eu ffurf symlaf:

  a) $(4 \times 10^6) \times (2 \times 10^{-4})$     c) $(2 \times 10^{-6}) \times (3 \times 10^5)$     e) $(2.5 \times 10^{-9}) \times (2 \times 10^6)$

  b) $(5 \times 10^{-3}) \times (1 \times 10^5)$     d) $(7 \times 10^{11}) \times (1 \times 10^{-12})$     f) $(3 \times 10^{-5}) \times (3 \times 10^2)$

# 1.13    Ail Israddau a Thrydydd Israddau

1)    Defnyddiwch gyfrifiannell i ddarganfod (i 2 le degol):

a)  $\sqrt{50}$          d)  $15^{\frac{1}{2}}$

b)  $\sqrt{20}$          e)  $7^{\frac{1}{2}}$

c)  $\sqrt{65}$          f)  $72^{\frac{1}{2}}$

2)    Darganfyddwch y canlynol i 1 lle degol:

a)  $\sqrt[3]{80}$          d)  $75^{\frac{1}{3}}$

b)  $\sqrt[3]{150}$         e)  $63^{\frac{1}{3}}$

c)  $\sqrt[3]{5}$          f)  $10^{\frac{1}{3}}$

> Cofiwch fod y pŵer $\frac{1}{2}$ yn golygu ail isradd a bod y pŵer $\frac{1}{3}$ yn golygu trydydd isradd.

> Gwiriwch eich atebion drwy ddefnyddio <u>cyfrifiannell</u> wedyn.

3)    O wybod $y^2$ ysgrifennwch werth $y$:

a)  $y^2 = 81$          d)  $y^2 = 100$

b)  $y^2 = 25$          e)  $y^2 = 4$

c)  $y^2 = 16$          f)  $y^2 = 16$

4)    O wybod $y^3$ ysgrifennwch werth $y$:

a)  $y^3 = 125$         d)  $y^3 = 27$

b)  $y^3 = 64$          e)  $y^3 = 1$

c)  $y^3 = 8$           f)  $y^3 = 0$

5)    Mae'n rhaid i ail isradd 10 fod rhwng ail isradd 9, sef 3, ac ail isradd 16, sef 4. Felly mae $\sqrt{10}$ rhwng 3 a 4. Darganfyddwch barau o rifau dilynol sy'n rhoi terfynau ar:

a)  $\sqrt{50}$          b)  $\sqrt{150}$          c)  $\sqrt{115}$          d)  $\sqrt{2}$

6)    Symleiddiwch:

a)  $\sqrt{16x^2}$          f)  $\sqrt{a^4}$

b)  $\sqrt{25a^2}$         g)  $\sqrt[3]{27a^3}$

c)  $\sqrt{100m^2}$        h)  $\sqrt[3]{64a^3b^3}$

d)  $\sqrt{64a^2b^2}$      i)  $\sqrt[3]{1000a^6}$

e)  $\sqrt{16a^2b^2c^2}$   j)  $\sqrt[3]{a^6}$

# 1.14     *Y Ffurf Indecs Safonol*

Gall ysgrifennu rhifau mawr iawn (neu fach iawn) fod braidd yn drafferthus gyda'r holl seroau, os na ddefnyddiwch y ffurf indecs safonol. Ond wrth gwrs y prif reswm dros wybod am y ffurf safonol yw... ei fod yn yr arholiad.

**Biliwn Brydeinig sydd yma – miliwn miliwn.**

1)    Ysgrifennwch yn y ffurf safonol:
  - a) 5000
  - b) 9000
  - c) 90 000
  - d) 200 000
  - e) 3 miliwn
  - f) 30 miliwn
  - g) 300 miliwn
  - h) 8 biliwn
  - i) 10 biliwn

2)    Ysgrifennwch y rhain gan ddefnyddio digidau, ond gan ddefnyddio'r geiriau mil, miliwn, biliwn ar gyfer y darnau mawr:
  - a) $5 \times 10^2$
  - b) $3 \times 10^4$
  - c) $8 \times 10^3$
  - d) $9 \times 10^5$
  - e) $7 \times 10^6$
  - f) $7 \times 10^7$
  - g) $7 \times 10^8$
  - h) $4 \times 10^9$
  - i) $5 \times 10^{10}$

3)    Ysgrifennwch yn y ffurf safonol:
  - a) 5 miliwn
  - b) 5.8 miliwn
  - d) 5.85 miliwn
  - e) 6 000 000
  - e) 6 700 000
  - f) 6 750 000

4)    Ysgrifennwch fel rhifau cyffredin (heb ddefnyddio geiriau):
  - a) $4 \times 10^3$
  - b) $4.3 \times 10^3$
  - c) $4.35 \times 10^3$
  - d) $4.352 \times 10^5$
  - e) $6 \times 10^4$
  - f) $6.4 \times 10^4$
  - g) $6.42 \times 10^4$
  - h) $6.425 \times 10^4$
  - i) $8 \times 10^6$
  - j) $8.9 \times 10^6$
  - k) $8.95 \times 10^6$
  - l) $8.952 \times 10^6$

5)    Ysgrifennwch y rhifau hyn yn y ffurf safonol gywir, h.y. gydag un digid yn unig cyn y pwynt:
  - a) $35 \times 10^5$
  - b) $160 \times 10^3$
  - c) $45 \times 10^6$
  - d) $127 \times 10^6$
  - e) $58.5 \times 10^4$
  - f) $72.8 \times 10^9$
  - g) $0.3 \times 10^5$
  - h) $0.85 \times 10^6$
  - i) $0.03 \times 10^5$

6)    Enrhifwch yn y ffurf safonol:
  - a) $(3 \times 10^4) \times (2 \times 10^5)$
  - b) $(4 \times 10^8) \times (2 \times 10^6)$
  - c) $(1.5 \times 10^6) \times (2 \times 10^4)$
  - d) $(2.5 \times 10^3) \times (2 \times 10^5)$

**Cofiwch** – bydd cyfrifiannell yn ysgrifennu'r ateb fel $3.46^{27}$, yn hytrach na $3.46 \times 10^{27}$. Os byddwch chi'n ei ysgrifennu yr un fath â'r cyfrifiannell, bydd yn golygu rhywbeth <u>hollol</u> wahanol. Felly peidiwch.

7)    Cyflawnwch y lluosi canlynol, gan roi eich ateb yn y ffurf safonol:
  - a) $(4 \times 10^8) \times (3 \times 10^5)$
  - b) $(6 \times 10^7) \times (4 \times 10^3)$
  - c) $(2.5 \times 10^5) \times (5 \times 10^4)$
  - d) $(7.5 \times 10^3) \times (2 \times 10^8)$

8)    Cyflawnwch y rhannu canlynol, gan roi eich ateb yn y ffurf safonol:
  - a) $(9 \times 10^7) \div (3 \times 10^2)$
  - b) $(8 \times 10^{12}) \div (2 \times 10^4)$
  - c) $(7 \times 10^9) \div (2 \times 10^3)$
  - d) $(6 \times 10^5) \div (3 \times 10^3)$

9)    Ysgrifennwch y rhifau hyn yn y ffurf safonol:
  - a) 0.0004
  - b) 0.02
  - c) 0.025
  - d) 0.0005
  - e) 0.00052
  - f) 0.000527
  - g) 0.000008
  - h) 0.0000086
  - i) 0.010003

## 2.1        *Algebra Sylfaenol*

1) Ysgrifennwch y mynegiadau canlynol mewn geiriau: (e.e. byddai $2x$ yn cael ei ysgrifennu fel '2 wedi'i luosi ag $x$')

a) $x + 1$      f) $3xy$      k) $4a/b$

b) $y - 5$      g) $m - n$      l) $2x - 1$

c) $10n$      h) $m/n$      m) $5a + 4$

d) $a/3$      i) $n/m$      n) $12/x$

e) $xy$      j) $5 - x$      o) $5/(2x)$

2) Ysgrifennwch mewn symbolau:

a) 3 yn fwy nag $x$      f) 6 wedi'i luosi â 7      k) 5 yn fwy na 3 wedi'i luosi ag $x$

b) 5 yn llai na $p$      g) 7 wedi'i luosi â 6      l) 3 wedi'i luosi ag $x$, wedi'i rannu â 2

c) $p$ yn llai na 5      h) 1.5 wedi'i luosi ag $x$      m) 7 wedi'i rannu â dwy $x$

d) $x$ wedi'i rhannu â 4      i) $p$ wedi'i rhannu â $q$      n) dwy A minws tri wedi'i luosi â B

e) 4 wedi'i rannu ag $x$      j) 3 yn llai na dwy $x$      o) 5 yn llai na hanner $x$

3) Ysgrifennwch y mynegiadau algebraidd ar gyfer y rhain:

a) tri yn fwy nag $x$

b) saith yn llai nag $y$

c) pedwar wedi'i luosi ag $x$

d) $y$ wedi'i lluosi ag $y$

e) deg wedi'i rannu â $b$

f) rhif wedi'i adio at bump

g) rhif wedi'i luosi â dau

h) dau rif gwahanol wedi'u hadio at ei gilydd

Ar gyfer 'rhif' gallwch ddewis unrhyw lythyren i'w rhoi yn ei le.

4) Symleiddiwch:

a) $y \times y \times y$      c) $x \times 2x$      e) $p \times p + 2q \times q \times q$

b) $y \times x$      d) $y \times y + x \times x \times x$      f) $r \times r \times r + q^2 \times q \times 3p^2$

5) Symleiddiwch drwy ehangu'r cromfachau:

a) $4(x + 3)$      c) $3(3x + 1)$      e) $2(5x - 3y)$

b) $5(2x + 4)$      d) $6(4x - y)$      f) $p(2a + 3b)$

6) Ehangwch y cromfachau ac yna casglwch dermau tebyg.

a) $3(x + 4) + 5(6x + 5)$      c) $2(2x + 2) + 7(7x - 3)$      e) $5(3x - 7) + 9(2x + 2)$

b) $4(3x + 3) + 2(2x - 7)$      d) $3(5x - 5) + 6(8x + 8)$      f) $a(2b + 2) + a(5b - 6)$

# 2.1 Algebra Sylfaenol

7) Yn y cwestiwn hwn, bydd pob ateb yn fynegiad – hynny yw, rhywbeth sy'n defnyddio rhifau, llythrennau ac arwyddion. Nid rhif yn unig fydd yno.

a) Mae Ongl A yn $x$ gradd. Mae Ongl B 20 gradd yn fwy. Sawl gradd yw B?

b) Mae $n$ yn rhif. Mae $m$ 5 gwaith yn fwy nag $n$. Ysgrifennwch fynegiad ar gyfer $m$.

c) Mae $x$ yn rhif. Mae $y$ 5 yn fwy nag $x$. Ysgrifennwch fynegiad ar gyfer $x$.

d) Pwysau estrys mawr yw $k$ cilogram. Mae pwysau estrys bach 2 gilogram yn llai. Beth yw pwysau'r estrys bach?

e)

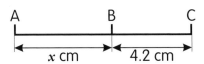

Hyd AB yw $x$ cm, hyd BC yw 4.2cm, beth yw hyd AC?

f)

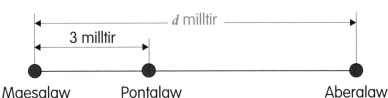

Y pellter rhwng Maesalaw ac Aberalaw yw $d$ milltir. Y pellter rhwng Maesalaw a Phontalaw yw 3 milltir. Beth yw'r pellter rhwng Pontalaw ac Aberalaw?

g) Uchder Mynydd Gofawr yw $x$ metr ac mae Mynydd Gofwy 150 metr yn uwch. Pa mor uchel yw Mynydd Gofwy?

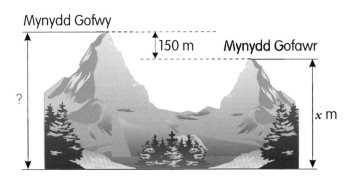

h) Hyd llong fodel yw $L$ metr. Mae'r llong real 80 gwaith yn hirach na'r model. Beth yw hyd y llong real?

i) Mae potel fawr yn dal $y$ litr ac mae potel fach yn dal chwarter cymaint. Faint mae'r botel fach yn ei ddal?

j) Mae aderyn y to yn teithio $w$ cilometr yr awr. Mae car sy'n mynd heibio iddo yn mynd 15 cilometr yr awr yn gyflymach. Pa mor gyflym mae'r car yn teithio?

# 2.2         *Patrymau Rhif*

1)     Lluniwch y ddau ddarlun nesaf ar gyfer pob patrwm. Faint o fatsys a ddefnyddir ym mhob darlun?

    a)

    b)

    c)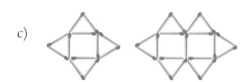

2)     Yn y dilyniant hwn y rheol ar gyfer cael pob term yw 'Dyblu *n* ac adio 1'.
       Copïwch a chwblhewch y siart sy'n cynnwys 8 term cyntaf y dilyniant.

| *n* | 1 | 2 | 3 | 4 | 5 | 6 | 7 | 8 |
|-----|---|---|---|---|---|---|---|---|
| *t* | 3 | 5 |   |   |   |   |   |   |

3)     Yn y dilyniant hwn y rheol ar gyfer cael *t* yw 'Lluosi *n* â 3, yna tynnu 2'.
       Copïwch a chwblhewch y siart hyd at yr 8fed term.

| *n* | 1 | 2 | 3 | 4 | 5 | 6 | 7 | 8 |
|-----|---|---|---|---|---|---|---|---|
| *t* |   |   |   |   |   |   |   |   |

**Cofiwch fod 6 math gwahanol o ddilyniant – a bydd
angen i chi fedru adnabod unrhyw un ohonynt.**

4)     Mae'r dilyniannau canlynol yn cael eu disgrifio mewn geiriau. Ysgrifennwch eu pedwar term cyntaf.
       **a)**   Y rhifau cysefin yn dechrau â 37.
       **b)**   Rhifau sgwâr odrifau yn dechrau â $7^2 = 49$.
       **c)**   Rhifau triongl yn dechrau â 15.

# 2.3 Darganfod yr nfed Term

**Dyma gwestiwn poblogaidd mewn arholiadau – maen nhw'n siŵr o ofyn i chi ddarganfod yr *n*fed term, felly dysgwch y ddwy fformiwla... <u>ac</u> ystyr pob darn.**

1)   6   11   16   21   26   ...
   a)  Copïwch y dilyniant hwn a'i barhau am 3 therm arall.
   b)  Ysgrifennwch res y gwahaniaethau oddi tano.
   c)  Ysgrifennwch fformiwla ar gyfer cyfrifo'r term (*t*) mewn perthynas â rhif y term (*n*).
   d)  Beth yw'r 20fed term?

2)   3   6   11   18   27   38   ...
   a)  Ysgrifennwch y gwahaniaeth rhwng pob pâr o dermau dilynol.
   b)  Defnyddiwch y patrwm hwn i gyfrifo'r <u>tri</u> therm nesaf yn y dilyniant sydd â 'Gwahaniaeth Cynyddol'.
   c)  Ysgrifennwch fformiwla ar gyfer yr *n*fed term.
   d)  Beth yw'r 10fed term?

**Chwiliwch am eiriau fel 'gwahaniaeth cynyddol' – byddan nhw'n dangos pa fformiwla i'w defnyddio.**

3)   4   6.5   9   11.5   14   ...
   a)  Copïwch y dilyniant a'i barhau am 3 therm arall.
   b)  Gweithiwch allan fformiwla ar gyfer yr *n*fed term.
   c)  Beth yw'r 50fed term?

4)   3   12   27   48   75   108   ...
   a)  Ysgrifennwch y gwahaniaeth rhwng pob pâr o dermau dilynol.
   b)  Cyfrifwch 3 therm nesaf y dilyniant.
   c)  Beth yw'r *n*fed term.
   d)  Beth yw'r 20fed term?

5)   20   17   14   11   8   ...
   a)  Parhewch y dilyniant am 5 term arall.
   b)  Ysgrifennwch y gwahaniaeth rhwng pob pâr o dermau dilynol.
   c)  Ysgrifennwch fformiwla ar gyfer yr *n*fed term.
   d)  Beth yw'r 20fed term?

**Ni roddir unrhyw help i chi yma, felly cofiwch – dechreuwch y rhain bob tro drwy gyfrifo'r gwahaniaeth rhwng y termau. Os ydy'r gwahaniaeth yr un fath bob tro, defnyddiwch fformiwla'r Gwahaniaeth Cyffredin. Os yw'n newid, defnyddiwch fformiwla'r Gwahaniaeth sy'n Newid. Hawdd iawn.**

6)   Darganfyddwch yr *n*fed term ym mhob un o'r dilyniannau canlynol:
   a)  0   3   8   15   24   35...
   b)  1   7   17   31   49   71...
   c)  4   13   28   49   76...
   d)  0   9   24   45   72   105...
   e)  5   20   45   80   125   180...
   f)  2   17   42   77   122   177...

# 2.4 Rhoi Gwerthoedd mewn Fformiwlâu

**Cofiwch yr arwydd '×' anweledig pan fydd 2 lythyren gyda'i gilydd...**
**Ystyr *E = Fg* yw *E = F × g***

1) Os yw $p = qr$:
   a) Cyfrifwch $p$ pan fo $q = 1.5$, $r = 8$.
   b) Cyfrifwch $r$ pan fo $p = 150$, $q = 3$.

2) Os yw $V = IR$:
   a) Cyfrifwch $V$ pan fo $I = 3.2$, $R = 75$.
   b) Cyfrifwch $I$ pan fo $V = 12$, $R = 24$.

**Gweithiwch fesul cam bob amser – ysgrifennwch y fformiwla yn gyntaf, yna ysgrifennwch hi eto gan roi rhifau yn lle'r llythrennau, yna gwnewch y cyfrifo. Mae'n ddull da a dibynadwy.**

3) Gan ddefnyddio'r fformiwla $C = HLlU$ (Cyfaint = Hyd × Lled × Uchder)
   a) Cyfrifwch $C$ pan fo $H = 4.2$, $Ll = 3.5$, $U = 1.4$
   b) Cyfrifwch $U$ pan fo $C = 250$, $H = 10$, $Ll = 8$.
   c) Cyfrifwch $Ll$ pan fo $C = 4500$, $H = 30$, $U = 10$.

4) Gan ddefnyddio'r fformiwla $a = \dfrac{su}{2}$ (Arwynebedd = $\dfrac{\text{Sail} \times \text{Uchder}}{2}$)
   a) Cyfrifwch $a$ pan fo $s = 8.6$, $u = 5.2$.
   b) Cyfrifwch $u$ pan fo $a = 40$, $s = 10$.

5) Mae cwmni arlwyo'n codi tâl am drefnu pryd bwyd drwy ddefnyddio'r fformiwla $C = T + np$, lle mae $C$ yn dynodi Cyfanswm y Gost, $T$ yw'r tâl sylfaenol, $n$ yw nifer y gwesteion a $p$ yw'r gost ychwanegol am bob gwestai.
   a) Cyfrifwch y gost os yw'r tâl sylfaenol yn £80 a bod 45 o westeion gyda thâl o £4 am bob un.
   b) Ar adeg arall roedd 60 o westeion gyda thâl o £5 am bob un, a chyfanswm y gost oedd £410. Cyfrifwch werth $T$.
   c) Ar adeg arall codir tâl o £6 am bob gwestai, y tâl sylfaenol $T$ yw £95 a chyfanswm y gost yw £545. Cyfrifwch werth $n$, nifer y gwesteion.

6) Gan ddefnyddio'r fformiwla $v = u + at$:
   a) Cyfrifwch $v$ pan fo $u = 250$, $a = 32$, $t = 10$.
   b) Cyfrifwch $u$ pan fo $v = 450$, $a = 10$, $t = 25$.
   c) Cyfrifwch $t$ pan fo $v = 248$, $u = 150$, $a = 9.8$.

7) Gan ddefnyddio'r hafaliad $y = mx + c$, ar gyfer hafaliad llinell syth, lle mae $m$ yn dynodi'r graddiant ac mae $c$ yn dynodi'r rhyngdoriad:
   a) Cyfrifwch $y$ pan fo $m = 0.4$, $c = 3.5$, $x = 5$.
   b) Cyfrifwch $c$ os gwyddoch fod $m = -2$ a bod y llinell yn mynd trwy'r pwynt $(3, -4)$.
   c) Cyfrifwch $m$ os gwyddoch fod $c = 4$ a bod y llinell yn mynd trwy'r pwynt $(1, 4.5)$.

# 2.5 Ad-drefnu Fformiwlâu

Er mwyn 'gwneud *x* yn destun y fformiwla' mae angen i chi ei rhoi ar y ffurf '**x = ...**' gan ddefnyddio'r 6 cham, fel y gwelir yn Y Llyfr Adolygu, tud.38.

Yn rhan **a)** ym mhob cwestiwn, datryswch yr hafaliad i ddarganfod *x*. Yn rhan **b)** gwnewch *x* yn destun y fformiwla. Bydd y dull ar gyfer rhan **b)** yn debyg i'r dull ar gyfer rhan **a)**:

1) a) $x + 6 = 20$
   b) $x + a = b$

2) a) $x - 5 = 13$
   b) $x - a = b$

3) a) $4x = 24$
   b) $px = q$

4) a) $\frac{x}{3} = 9$
   b) $\frac{x}{m} = n$

5) a) $10 = 3 + x$
   b) $c = d + x$

6) a) $14 = x - 5$
   b) $h = x - k$

7) a) $100 = 20x$
   b) $u = vx$

8) a) $4 = \frac{x}{15}$
   b) $a = \frac{x}{b}$

9) a) $4x + 5 = 21$
   b) $ax + b = c$

10) a) $2x - 7 = 9$
    b) $px - q = r$

11) a) $10 = 3x - 2$
    b) $a = bx - c$

12) a) $\frac{x}{3} + 5 = 8$
    b) $\frac{x}{m} + n = p$

13) a) $20 = \frac{x}{5} - 1$
    b) $l = \frac{x}{m} - n$

14) a) $15 = 4 + \frac{x}{3}$
    b) $t = r + \frac{x}{s}$

15) a) $17x + 8 = 42$
    b) $nx + m = z$

16) a) $40 = \frac{x}{4} - 10$
    b) $e = \frac{x}{k} - r$

17) a) $12 = 7 - x$
    b) $a = b - x$

18) a) $15 = 24 - 3x$
    b) $p = q - rx$

**Y prif beth i'w gofio yma yw hyn: beth bynnag y gwnewch i un ochr, mae'n rhaid gwneud yr un fath i'r ochr arall.**

19) Gwnewch y briflythyren yn destun y fformiwla:

   a) $v = aT$
   b) $d = axT$
   c) $p = 5rsT$

   d) $p = 5rSt$
   e) $m = pQ$
   f) $m = p^2Q$

   g) $c = 2pR$
   h) $v = lbH$
   i) $a = \frac{B}{100}$

   j) $a = \frac{cB}{100}$
   k) $l = \frac{pRt}{100}$
   l) $a = \frac{1}{3}B$

**Wedi i chi wneud ychydig o'r rhain, byddan nhw'n dod yn haws o lawer, rwy'n addo.**

20) Gwnewch y briflythyren yn destun y fformiwla:

   a) $a + B = c$
   b) $2a + K = 1$
   c) $b - C = d$

   d) $3b - C = 2d$
   e) $3A + m = n$
   f) $p + 3Q = r$

   g) $a + bC = d$
   h) $\frac{X}{4} + a = b$
   i) $\frac{M}{n} + k = h$

# 2.6 Y Ffordd Hawdd o Ddatrys Hafaliadau

**Triwch wneud rhai o'r cwestiynau mwyaf anodd ar y dudalen hon drwy'r dull cynnig a gwella i weld pa mor anodd ydyn nhw. Am hwyl!**

1) Llenwch y bylchau:

a) ..... + 60 = 100

b) 20 − ..... = 13 + .....

c) 4 × ..... = 30

d) ..... ÷ 7 = 3

e) ..... + ..... + ..... = 87

f) 4 × ..... − 24 = 70

g) 190 = ..... − 490

h) 72 ÷ ..... = 3

i) ..... + ..... + 15 = 75

j) ..... × ..... = 25

k) ( ..... × 10) + 3 = 42

l) ..... ÷ 10 = 0.6

m) ..... + ..... + ..... = 40 − .....

n) ..... × ..... × ..... = 125

o) $\frac{1}{4}$ ..... = 9

p) 1..... = $\frac{3}{4}$..... − 25

q) 0.3 × ..... = 0.03

r) ..... − $\frac{1}{4}$ ..... = 9

2) Darganfyddwch werth y llythrennau anhysbys:

a) $x + 3 = 15$

b) $x − 4 = 6$

c) $3a = 24$

d) $15y = 45$

e) $\frac{1}{2}z = 30$

f) $\frac{1}{4}a = 7$

g) $x/5 = 3$

h) $b/9 = 2$

i) $2x + 1 = 21$

j) $4x − 3 = 37$

k) $3m + 1 = 1000$

l) $20 − k = 8$

m) $\frac{1}{2}x + 1 = 3$

n) $32 = 3y + 2$

3) Datryswch yr hafaliadau hyn i ddarganfod gwerth $x$:

a) $3x + 5 = 32$

b) $6x + 13 = 85$

c) $10x + 38 = 188$

d) $25x + 17 = 192$

4) Ym mhob un o'r canlynol darganfyddwch werth $x$:

a) $9x + 7 = 6x + 25$

b) $7x + 12 = 3x + 36$

c) $8x + 3 = 3x + 13$

5) Darganfyddwch werth x ym mhob un o'r canlynol:

a) $\frac{2x}{3} + 20 = 30$

b) $\frac{7x}{5} + 15 = 29$

c) $\frac{x}{4} + 10 = 100$

d) $\frac{8x}{3} + 35 = 59$

e) $\frac{x}{7} + 14 = 28$

f) $\frac{13x}{2} + 14 = 40$

# 2.7 Cynnig a Gwella

*Cofiwch ddarganfod 2 <u>ganlyniad</u> sy'n groes i'w gilydd... neu fydd hyn ddim yn gweithio.*

1) Copïwch a chwblhewch bob tabl a'i ddefnyddio i ddatrys yr hafaliadau hyn i 2 le degol. Dangoswch eich holl waith cyfrifo:

a) $x^2 - 12 = 0$

| Cynnig $(x)$ | Gwerth $x^2 - 12$ | Rhy fawr neu Rhy fach |
|---|---|---|
| 3 | $3^2 - 12 = -3$ | |
| 4 | $4^2 - 12 = 4$ | |
| | | |

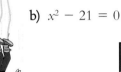

b) $x^2 - 21 = 0$

| Cynnig $(x)$ | Gwerth $x^2 - 21$ | Rhy fawr neu Rhy fach |
|---|---|---|
| 4 | $4^2 - 21 =$ | |
| 5 | $5^2 - 21 =$ | |
| | | |
| | | |

Estynnwch y tabl os oes angen

c) $x^2 - 17 = 0$

| Cynnig $(x)$ | Gwerth $x^2 - 17$ | Rhy fawr neu Rhy fach |
|---|---|---|
| 4 | $4^2 - 17 =$ | |
| 5 | $5^2 - 17 =$ | |
| | | |
| | | |

d) $x^2 - 85 = 0$

| Cynnig $(x)$ | Gwerth $x^2 - 85$ | Rhy fawr neu Rhy fach |
|---|---|---|
| 9 | $9^2 - 85 =$ | |
| 10 | $10^2 - 85 =$ | |
| | | |
| | | |

**ADRAN 2 – ALGEBRA**

# 2.8 *Datrys Hafaliadau*

Mae hyn yn union yr un fath ag ad-drefnu hafaliadau – y gwahaniaeth yw y cewch '*x* = rhif' yn hytrach na darn arall o algebra. Ond byddwch yn defnyddio'r un 6 cham, felly os nad ydych wedi'u dysgu hyd yma, gwnewch hynny yn awr.

1) Datryswch y canlynol:

a) $4x = 20$

b) $7x = 28$

c) $x + 3 = 11$

d) $x + 19 = 23$

e) $x - 6 = 13$

f) $7x = -14$

g) $2x = -18$

h) $x + 5 = -3$

i) $x/2 = 22$

j) $x/7 = 3$

k) $x/5 = 8$

l) $10x = 100$

m) $2x + 1 = 7$

n) $2x + 4 = 5$

o) $7x + 5 = 54$

p) $6x - 7 = 41$

q) $2x + 7 = 13$

r) $3x - 2 = 19$

2) Trwy ad-drefnu'r fformiwlâu yn gyntaf, datryswch yr hafaliadau canlynol:

a) $3(2x + 5) = 39$

b) $7(x - 2) = 126$

c) $9(3x + 4) = 306$

d) $8(5x - 3) = 136$

e) $6(4x + 7) = 282$

f) $7(9x - 8) = 6244$

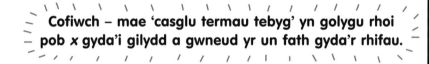

Cofiwch – mae 'casglu termau tebyg' yn golygu rhoi pob *x* gyda'i gilydd a gwneud yr un fath gyda'r rhifau.

3) Trwy gasglu termau tebyg gyda'i gilydd yn gyntaf, darganfyddwch werth *x*:

a) $5x - 9 = 41$

b) $\dfrac{x}{7} + 14 = 20$

c) $\dfrac{3x}{4} - 9 = 6$

d) $11x + 4 = 6x + 29$

e) $3x + 8 + 4x - x = 26$

f) $\dfrac{2x}{3} = 10$

g) $2(3x - 5) = 170$

h) $\dfrac{4x}{5} - 8 = 72$

i) $10x - 9 - 3x = 40$

j) $x + 2x + 3x + 4x = 1000$

Gyda llaw, <u>mae'r onglau o gwmpas pwynt yn adio i 360°</u>. Mae hynny'n rhywbeth arall i chi ei ddysgu ar eich cof.

4) Mae A, B a C yn 3 ongl o gwmpas pwynt.
Mae ongl B 15° yn fwy nag ongl A.
Mae ongl C yn 95°. Trwy lunio hafaliad a'i ddatrys, darganfyddwch onglau A a B.

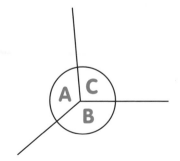

# 2.8 *Datrys Hafaliadau*

**Dechreuwch drwy roi llythyren ar gyfer un o'r pethau anhysbys ac ysgrifennu'r peth anhysbys arall yn nhermau'r llythyren honno... yna rhowch y cwbl mewn hafaliad, ad-drefnwch ychydig ac yna cewch yr ateb.**

5) Mae 460 o ddisgyblion yn ysgol Siân. Mae 22 yn fwy o ferched nag sydd o fechgyn. Trwy lunio hafaliad a'i ddatrys, darganfyddwch faint o ferched a bechgyn sydd yn yr ysgol.

6) Mewn cystadleuaeth darts sgoriodd Carl 147 yn fwy na Pat a theirgwaith cymaint â Gwen. Cyfanswm eu sgorau oedd 336. Beth oedd eu sgorau unigol?

7) Mae onglau pedrochr yn adio i 360°. Darganfyddwch hafaliad yn nhermau $x$ a'i ddatrys ar gyfer pob un o'r siapiau canlynol:

a)

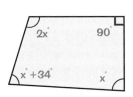

b)

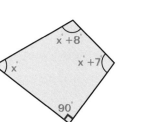

c)

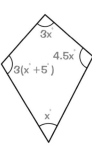

d)

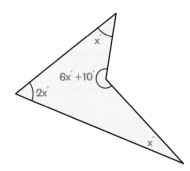

8) Mae Dewi, Catrin a Meleri yn ennill £2400 rhyngddynt yn y Lotri Genedlaethol. Mae Dewi'n cael £$x$ ac mae Catrin yn cael dwywaith cymaint â Dewi. Mae Meleri'n cael £232 yn llai na'r swm y mae Dewi'n ei gael.

a) Ysgrifennwch fynegiad ar gyfer y symiau y mae Dewi, Catrin a Meleri'n eu hennill.

b) Ysgrifennwch hafaliad yn nhermau $x$ a'i ddatrys.

c) Ysgrifennwch y symiau y mae Catrin a Meleri'n eu cael.

9) Datryswch y canlynol:

a) $5(x - 1) + 3(x - 4) = -11$

b) $3(x + 2) + 2(x - 4) = x - 3(x + 3)$

c) $\dfrac{3x}{2} + 3 = x$

d) $3(4x + 2) = 2(2x - 1)$

e) $5x + \dfrac{7}{9} = 3$

f) $2x + \dfrac{7}{11} = 3$

# 2.9 Trionglau Fformiwla

Roedd pwy bynnag a feddyliodd gyntaf am drionglau fformiwla yn athrylith – maen nhw'n gwneud cwestiynau fel y rhain yn <u>hawdd iawn</u>... cuddiwch yr hyn sydd ei angen a bydd y triongl yn dangos sut i ateb y cwestiwn.

1) Cyfrifwch y buanedd cyfartalog yn y canlynol, gan ofalu i roi'r ateb mewn unedau priodol:

**Bydd angen y triongl hwn ar gyfer Cw.1-3**

a) car yn mynd 180 o filltiroedd mewn 4 awr
b) cerddwr yn cerdded 26 milltir mewn 8 awr
c) trên yn mynd 725km mewn 5.8 awr
d) awyren yn hedfan 3500km mewn 5.6 awr
e) roced yn mynd 240km mewn 30 eiliad

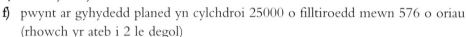

Buanedd cyfartalog $= \dfrac{\text{Pellter cyfan}}{\text{Amser cyfan}}$

f) pwynt ar gyhydedd planed yn cylchdroi 25000 o filltiroedd mewn 576 o oriau (rhowch yr ateb i 2 le degol)
g) planed y Ddaear yn teithio 580 miliwn o filltiroedd o amgylch yr Haul mewn blwyddyn (cymerwch fod 365 o ddiwrnodau mewn blwyddyn, 24 awr mewn diwrnod; rhowch yr ateb i 2 le degol).

2) Cyfrifwch y pellter a deithiwyd yn y canlynol:
a) pysen wlyb yn symud 25m yr eiliad am 18.5 eiliad
b) malwen yn symud 0.3cm yr eiliad am 2 funud (rhowch yr ateb mewn metrau)
c) afon yn llifo 4.5m yr eiliad am 24 awr (rhowch yr ateb mewn km)
d) trên yn mynd 170km/a am 3.8 awr
e) car yn mynd 56mya am 4.25 awr.

Cymerwch ofal â'r unedau – gallwch gael trafferthion mawr os na fyddwch yn trawsnewid popeth i'r unedau cywir ar y cychwyn.

3) Cyfrifwch yr amser sydd ei angen ar gyfer y teithiau canlynol:
a) mewn trên o Lundain i Fryste, 118 o filltiroedd, ar fuanedd cyfartalog o 92mya (2 le degol)
b) mewn car o Gaerwrangon i Birmingham, 49km, ar fuanedd cyfartalog o 60km/a (2 le degol)
c) 390 o filltiroedd o Ewrop i America mewn awyren ar fuanedd o 650mya
d) sain taran o fellten 4 milltir i ffwrdd (tybiwch mai buanedd sain mewn aer yw 750mya; trawsnewidiwch yr ateb yn eiliadau drwy luosi â $60 \times 60 = 3600$)
e) goleuni'n teithio o'r haul ar fuanedd o 186000 o filltiroedd yr eiliad i'r Ddaear, pellter o 93 miliwn o filltiroedd (trawsnewidiwch yr ateb yn funudau ac eiliadau).

4) Amcangyfrifir mai pwysau cyfartalog y teithwyr sy'n defnyddio lifft yw 64kg. Faint o deithwyr y gall ei gludo yn ddiogel os yw'r cyfyngiad ar bwysau yn 1.2 tunnell fetrig?

5) Pwysau cyfartalog 16 o geir ar fferi yw 1.1 tunnell fetrig.
a) Beth yw cyfanswm pwysau'r ceir hyn?
b) Daw car arall ar y fferi. Ei bwysau yw 0.8 tunnell fetrig yn unig. Beth yw pwysau cyfartalog newydd y ceir?

Pwysau cyfartalog $= \dfrac{\text{Cyfanswm y pwysau}}{\text{Nifer y pethau}}$

Defnyddiwch y triongl fformiwla uchod (gan ddefnyddio oedran yn hytrach na phwysau) i ddarganfod cyfanswm yr oedran cyn i Clara ddod at y bwrdd ac wedyn... y gwahaniaeth fydd oedran Clara.

6) Mae tad Clara, ei mam, ei nain a'i thaid yn eistedd o amgylch bwrdd, ac mae hi'n cyfrifo mai 54 yw eu hoedran cyfartalog <u>nhw</u>. Yna mae'n ymuno â nhw ac mae'n cyfrifo bod oedran cyfartalog y pump ohonynt wedi gostwng yn awr i 46. Beth yw oedran Clara?

# 2.9  Trionglau Fformiwla

7) Pwysau cyfartalog tîm o 8 mewn cwch rhwyfo yw 70.5kg. Mae Sam 'Syth' (74kg) yn ymadael ac mae Cefin 'Cyhyrog' yn cymryd ei le, fel bo'r pwysau cyfartalog yn cynyddu i 71.5kg. Beth yw pwysau Cefin?

**Mae hwn bron yr un fath â Chwestiwn 6 – ond y tro hwn y gwahaniaeth yng nghyfanswm y pwysau fydd y gwahaniaeth rhwng pwysau Cefin a Sam.**

8) a) Cyfaint bloc bach o arian (*silver*) yw 4.5cm³ a'i fâs yw 47.25g. Cyfrifwch ddwysedd yr arian.

   b) Dwysedd mercwri yw 13.6g am bob cm³. Cyfrifwch fâs 6.5cm³ o fercwri.

   c) Dwysedd aur yw 19.3g/cm³. Beth yw cyfaint bloc o aur â'i fâs yn 57.9g.

   d) Dwysedd cyfartalog math o gwarts (craig grisialog) yw 2.6g am bob cm³. Beth fydd màs bloc o gwarts â'i gyfaint yn 64cm³?

   e) Dwysedd iâ yw tua 0.9g am bob cm³. Pa gyfaint o iâ (i 2 ffig. yst.) a gynhyrchir pan fydd 810ml o ddŵr yn rhewi? (Tybiwch fod 1ml = 1cm³ ac mai dwysedd dŵr yw 1g am bob cm³.)

9) Dwysedd cymedrig y Ddaear yw tua 5.52, a dwysedd cymedrig y Lleuad yw 3.34.

   a) Pe bai gan y Ddaear yr un cyfaint â'r Lleuad, sawl gwaith yn fwy na màs y Lleuad fyddai màs y Ddaear?

   **Ni roddir y cyfaint i chi am nad oes ei angen... yr un yw'r cyfaint yn rhan a), felly galwch ef yn C a bydd yn canslo allan yn ddiweddarach. Wir i chi.**

   b) Mewn gwirionedd, mae cyfaint y Ddaear tua 49 gwaith cyfaint y Lleuad. Sawl gwaith yn fwy na màs y Lleuad yw màs y Ddaear? (Rhowch eich ateb i 2 le degol.)

   **Ychydig yn fwy anodd... ond yr hyn i'w wneud yw galw cyfaint y Lleuad yn C a chyfaint y Ddaear yn 49C... a bydd y C yn dal i ganslo allan.**

**Yng Nghwestiynau 10 ac 11, trawsnewidiwch amserau mewn munudau yn ddegolion o awr a defnyddiwch nhw fel hyn drwy'r cyfan... Byddai defnyddio munudau ac oriau yn gwneud y 2 gwestiwn yn llawer mwy anodd.**

10) Mae Rhun a'i gath yn mynd am dro yn y car o bentref Brynderw i Abergwaun, pellter o 38 milltir, ac maen nhw'n caniatáu 1½ awr ar gyfer y daith.

    a) Mae'r traffig yn waeth o lawer na'r disgwyl ac ar ôl 45 munud mae ganddynt 24 milltir i fynd o hyd. Beth oedd eu buanedd cyfartalog (i 1 lle degol) hyd yma?

    b) Pe baen nhw'n parhau ar y buanedd hwn am weddill y daith, faint o amser y bydd y daith yn ei gymryd? (Rhowch yr ateb i'r munud agosaf.)

11) Mae Mr Mwyn yn gadael ei gartref yn y car am 0720 ac mae'n gyrru 16 milltir i orsaf Stoke, gan gyrraedd am 0740. Am 0750 mae'n dal trên i Fanceinion, sy'n 56 milltir i ffwrdd, ac mae'n cyrraedd yno am 0835. Yna am 0845 mae'n dal tram i'w swyddfa, sy'n 3 milltir o'r orsaf, ac mae'n cyrraedd ei swyddfa am 0855.

    a) Gan weithio i 1 lle degol, cyfrifwch fuanedd cyfartalog pob un o'r tri cham uchod.

    b) Cyfrifwch ei fuanedd cyfartalog <u>cyffredinol</u>.

# 2.10      *Plotio Graffiau Llinell*

**Trefnwch eich cyfesurynnau yn gyntaf – gwnewch yn siŵr eich bod yn fodlon arnyn nhw cyn ateb cwestiwn ar graffiau. Fel arall bydd pethau'n siŵr o fynd o chwith.**

1)    Lluniwch echelinau o $-5$ i $+5$ i bob cyfeiriad, yna plotiwch y tair llinell ganlynol:

     a)   $y = 3x - 4$

     b)   $y = -\frac{4}{3}x - 1$

     c)   $y = \frac{1}{4}x + 1$      **Dechreuwch â'r Tabl Gwerthoedd – maen nhw i gyd yn llinellau syth, felly dim ond 2 bwynt sydd eu hangen, ond gwnewch 3 beth bynnag – mae'n ffordd dda o wirio eich bod yn gywir ac mae'n arferiad da iawn.**

2)    a)   Lluniwch echelinau $x$ ac $y$ o $-6$ i $+6$.

     b)   Ad-drefnwch yr hafaliadau ar gyfer y pedair llinell ganlynol yn y ffurf $y = mx + c$:

       i)   $x + y = 4$

       ii)   $3x + y = -6$

       iii)   $x - 2y = -4$

       iv)   $5x - 3y = -15$

     c)   Plotiwch graffiau'r pedair llinell ar eich echelinau.

3)    Lluniwch echelinau $x$ ac $y$ o $-6$ i $+6$.

     a)   Plotiwch ar eich echelinau y 3 llinell $y = 2x$, $y = 2x + 3$ ac $y = 2x - 5$.

     b)   Ar yr un diagram plotiwch y llinellau $y = -2x$, $y = -2x + 3$ ac $y = -2x - 5$.

     c)   Beth sylwch chi ynglŷn â'r <u>parau o linellau</u>:

       i)   $y = 2x$ ac $y = -2x$?

       ii)   $y = 2x + 3$ ac $y = -2x + 3$?

       iii)   $y = 2x - 5$ ac $y = -2x - 5$?

4)    a)   Lluniwch echelinau wedi'u labelu o $-6$ i $+6$ i bob cyfeiriad a phlotiwch y ddwy linell $y = \frac{1}{2}x + 1$ ac $y = -3x + 4\frac{1}{2}$.

     b)   i)   Ble mae'r llinell gyntaf yn croesi'r echelin $x$?

       ii)   Ble mae'r ail linell yn croesi'r echelin $x$?

       iii)   Ble mae'r ddwy linell yn croesi ei gilydd?

**Rydych yn gwybod y gall llinellau syth gael eu rhoi bob amser yn y ffurf $y = mx + c$ ... rhaid i chi gofio hefyd mai $m$ yw'r graddiant ac mai $c$ yw'r man lle mae'n croesi'r echelin $y$ – yna gallwch ddarganfod yr hafaliad o'r graff. Hawdd, ynte.**

**Rhowch gynnig arni ...**

5)    a)   Plotiwch y pwyntiau sydd ym mhob un o'r tablau hyn, gan gysylltu pob set o bwyntiau â llinell syth.

| $x$ | -1 | 0 | 1 | 2 | 3 |
|---|---|---|---|---|---|
| $y$ | -8 | -3 | 2 | 7 | 12 |

| $x$ | -4 | -2 | 0 | 2 | 4 |
|---|---|---|---|---|---|
| $y$ | 1 | 0 | -1 | -2 | -3 |

| $x$ | -8 | -4 | 0 | 4 | 8 |
|---|---|---|---|---|---|
| $y$ | -1 | 0 | 1 | 2 | 3 |

     b)   Defnyddiwch eich graff i ddarganfod hafaliad pob un o'r llinellau.

# 2.11     *Graddiant*

**Cofiwch, $y = mx + c$.**
**$c$ yw lle mae'n croesi'r echelin $y$, ac $m = $ ...**

1)   Heb lunio'r graffiau, darganfyddwch raddiant pob un o'r canlynol:
   a)   $y = 2x$                f)   $y = -x + 4$
   b)   $y = 2x - 5$          g)   $y = -\frac{1}{2}x$
   c)   $y = \frac{1}{4}x$             h)   $y = -\frac{1}{2}x - 1$
   d)   $y = \frac{1}{4}x + 3$       i)   $y = -2x - 7$
   e)   $y = -x$              j)   $y = 5x - 7$

2)   Trwy ad-drefnu pob hafaliad yn y ffurf $y = mx + c$ yn gyntaf, darganfyddwch y graddiant:
   a)   $x + 2y = 4$          e)   $x - 2y = 6$
   b)   $2x + 3y = 12$       f)   $5x - 4y = 20$
   c)   $-x + 3y = 9$       g)   $3x - 5y = -15$
   d)   $-3x + 4y = 12$     h)   $2x - 6y = -24$

3)   a)   Lluniwch graff gyda'r echelinau wedi'u rhifo o $-6$ i $+6$ i bob cyfeiriad:
   b)   Cwblhewch y siartiau a ddangosir isod:

| $x$ | -2 | -1 | 0 | 1 | 2 |
|-----|----|----|---|---|---|
| $y=3x$ | -6 | | | 3 | |

| $x$ | -6 | -3 | 0 | 3 | 6 |
|-----|----|----|---|---|---|
| $y=x/3$ | | -1 | | | 2 |

   c)   Plotiwch y naill set o bwyntiau a'r llall, a chysylltwch nhw â llinellau syth.
   d)   Beth yw <u>graddiant</u> y naill linell a'r llall? Dangoswch yn glir ar eich map sut y cyfrifwyd y naill raddiant a'r llall.

> **Y cynllun gorau yw defnyddio pwyntiau o'r pedrant uchaf ar y dde i gyfrifo'ch graddiannau, gan fod $x$ ac $y$ yn bositif. Os na fyddant, gallai'r arwyddion minws greu trafferth i chi, felly cymerwch ofal.**

Barbados

4)   a)   Lluniwch graff arall gyda'r echelinau wedi'u rhifo o $-8$ i $+8$ i'r naill gyfeiriad a'r llall.
   b)   Plotiwch y pwyntiau o'r siartiau isod a chysylltwch nhw i ffurfio dwy linell syth.

| $x$ | -2 | -1 | 0 | 1 | 2 |
|-----|----|----|---|---|---|
| $y$ | -8 | -4 | 0 | 4 | 8 |

| $x$ | -8 | -4 | 0 | 4 | 8 |
|-----|----|----|---|---|---|
| $y$ | -2 | -1 | 0 | 1 | 2 |

   c)   Ar y naill linell a'r llall lluniwch driongl y gellid ei ddefnyddio i ddarganfod y graddiant.
   d)   Gan ddefnyddio eich trionglau graddiant, darganfyddwch raddiant y ddwy linell.

# 2.12 Graffiau y Dylech eu Hadnabod

1) Cysylltwch y graffiau llinell syth canlynol â'u hafaliadau:

a)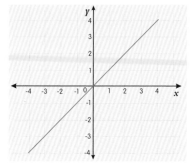

b)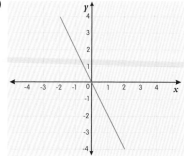

c)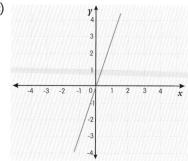

i) $y = 3x$

ii) $y = x$

iii) $y = -2x$

**Byddwch wedi diflasu ar y rhain erbyn i ni orffen... ond o leiaf byddwch yn gwybod sut i'w gwneud nhw – a dyna'r peth pwysig.**

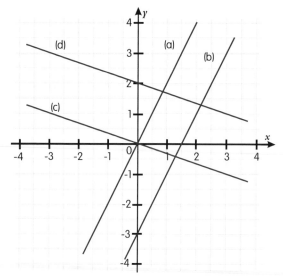

2) Ar gyfer pob un o'r llinellau (a), (b), (c), (d), gwnewch y canlynol:
   a) ysgrifennwch y rhyngdoriad
   b) ysgrifennwch y graddiant
   c) ysgrifennwch yr hafaliad, yn y ffurf $y = mx + c$, lle mae m yn dynodi'r graddiant ac mae $c$ yn dynodi'r rhyngdoriad.

3) Gan gyfeirio at yr un diagram â Chwestiwn 2:
   a) beth ynglŷn â hafaliadau'r pâr cyntaf o linellau [(a) a (b)] sy'n dangos eu bod yn baralel?
   b) beth ynglŷn â hafaliadau'r ail bâr o linellau [(c) a (d)] sy'n dangos eu bod yn baralel?

# 2.12    *Graffiau y Dylech eu Hadnabod*

4)    Cysylltwch y graffiau canlynol â'u hafaliadau:

a)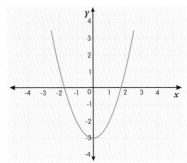

b)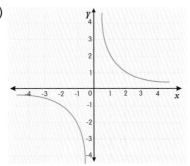

c)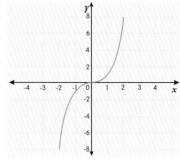

d)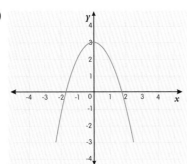

e)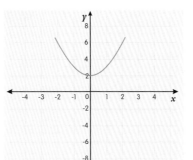

f)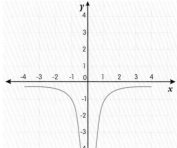

g)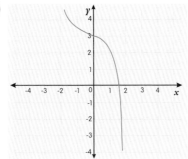

h)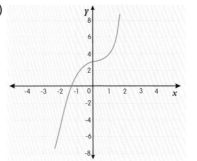

i)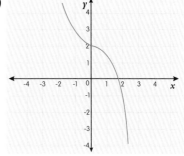

**i)** $y = x^3 + 3$

**ii)** $y = x^3$

**iii)** $y = x^2 + 2$

**iv)** $y = x^2 - 3$

**v)** $y = \dfrac{2}{x}$

**vi)** $y = -x^2 + 3$

**vii)** $y = -\dfrac{1}{x^2}$

**viii)** $y = -x^3 + 3$

**ix)** $y = -\frac{1}{2}x^3 + 2$

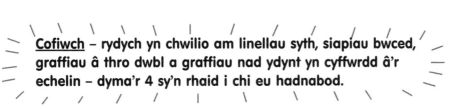

**Cofiwch** – rydych yn chwilio am linellau syth, siapiau bwced, graffiau â thro dwbl a graffiau nad ydynt yn cyffwrdd â'r echelin – dyma'r 4 sy'n rhaid i chi eu hadnabod.

# 2.13 Ehangu Cromfachau a Ffactorio

**O na – pob un?**

1) Ehangwch y cromfachau hyn:

a) $3(a + b)$

b) $4(2x + 5)$

c) $3(m + 2n + 5k)$

d) $6(2x - 3y)$

e) $10(5x - 4y + 6z)$

f) $-2(x + y)$

g) $-2(x - y)$

h) $-4(3a + 8)$

i) $-2(2c - 5d)$

j) $-8(-3a - 4b + 6)$

k) $-(a + b)$

l) $-(a - b + c)$

m) $a(b + 1)$

n) $a(x - y)$

o) $x(2a - 3b)$

p) $-a(3b - 4c)$

q) $-x(x + 1)$

r) $-x(x - y + z)$

s) $2a(b + 3c)$

t) $-3m(x + y)$

u) $-3m(m + n)$

v) $4h(l - h)$

w) $a(b + 1) - a(1 - 3a)$

x) $-3b(b - 2a)$

> Cofiwch y rheolau ar gyfer lluosi rhifau negatif.

2) Ffactoriwch y mynegiadau hyn:

a) $2x + 2y$

b) $3x + 6y$

c) $ax + ay$

d) $10a + 15b$

e) $4x - 2y$

f) $7p - 14q$

g) $ap - aq$

h) $3x + 3y + 3z$

i) $ax + ay - az$

j) $2a + 4b + 6c$

k) $6x - 12y - 6z$

l) $am + 2an + 3ap$

m) $4ax + 8ay$

n) $12bx - 6by + 24bz$

o) $a^2 + 5a^2$

p) $a^2 + 5a$

q) $a^2 + a$

r) $x^2 - 3x$

s) $x^2 - x$

t) $x^3 - 2x^2 + 3x$

u) $4x^2 - 16xy$

v) $10p^2 + 15pq$

w) $24ab - 16ab^2$

x) $14p^2q - 7pq^2$

> Tynnwch allan yr holl bethau sydd yn y termau i gyd, yna rhowch gromfachau o amgylch y gweddill...

3) Ehangwch y cromfachau hyn:

a) $(x + 4)(x + 2)$

b) $(x + 6)(x + 5)$

c) $(x - 3)(x + 5)$

d) $(x - 3)(x + 8)$

e) $(a + 3)(2a + 3)$

f) $(a - 3)(a + 4)$

g) $(m - 2)(m - 3)$

h) $(2m + 5)(m + 1)$

i) $(3y + 2)(y - 5)$

j) $(4x + 3)(2x - 1)$

**Bydd angen <u>CAMO</u> ar gyfer y rhain:**

**C**yntaf

**A**llanol

**M**ewnol

**O**laf.

k) $(x + 1)(3x - 4)$

l) $(b - 6)(b - 5)$

m) $(k + 4)(k - 2)$

n) $(2c + 3)(4c - 3)$

o) $(3d - 4)(5d - 6)$

p) $(3x - 7)(4x + 3)$

q) $(x + 3)(x + 3)$

r) $(a - 5)(a - 5)$

s) $(2x + 1)(2x + 1)$

t) $(2m - 3)(2m - 3)$

# 2.14 Hafaliadau Cydamserol

1) **a)** Lluniwch echelinau o −6 i +6 i gyfeiriad $x$ ac $y$.

**b)** Ar gyfer pob un o'r parau canlynol o linellau:

$$y = 3x + 2$$
$$y = -x + 6$$

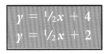
$$y = 2x - 6$$
$$y = -x - 3$$

$$y = \tfrac{1}{2}x + 4$$
$$y = \tfrac{1}{2}x + 2$$

    **i)** tynnwch y llinellau ar y graff a darganfyddwch gyfesurynnau'r pwynt lle maen nhw'n croesi

    **ii)** datryswch y pâr o hafaliadau cydamserol i ddarganfod gwerth $x$, a thrwy roi'r gwerth hwn i mewn darganfyddwch werth $y$. Gwiriwch fod eich atebion yn **i)** a **ii)** yr un fath.

> **I ddatrys hafaliadau cydamserol heb graffiau, mae'n rhaid cael gwared â naill ai *x* neu *y* yn gyntaf – er mwyn cael hafaliad sydd ag un peth anhysbys yn unig.**

2) Datryswch y parau hyn o hafaliadau i ddarganfod gwerthoedd $x$ ac $y$. Mae'r atebion i gyd yn rhifau cyfan positif.

  **a)** $y = 3x - 1$
      $y = 2x + 5$

  **b)** $y = 2.5x - 5$
      $y = 0.5x + 3$

  **c)** $y = 0.6x - 5$
      $y = -2.4x + 25$

3) Datryswch y parau hyn o hafaliadau cydamserol. Ym mhob un mae gwerth $x$ yn rhif cyfan negatif.

  **a)** $y = 3x + 8$
      $y = x + 4$

  **c)** $y = 4x + 7$
      $y = -9x - 6$

  **b)** $y = 3x + 24$
      $y = -4x - 11$

  **d)** $y = -3x + 2$
      $y = -4x - 8$

4) Yn y rhain mae gwerth $x$ yn ffracsiwn syml, positif neu negatif:

  **a)** $y = 15x + 1$
      $y = 6x + 4$

  **c)** $y = 16x - 1$
      $y = -8x - 7$

  **b)** $y = 25x - 1$
      $y = 10x + 2$

  **d)** $y = 25x + 1$
      $y = -10x - 2.5$

5) Mae Mrs Morris yn mynd â phlant am dro ac maen nhw'n galw am luniaeth. Gyda'r arian parod yn ei phoced gall hi dalu'r union faint cywir am 4 hufen iâ a 6 lolipop, neu 8 hufen iâ ac 1 lolipop. Pris pob lolipop yw £1. Yn nhermau £, beth yw pris hufen iâ a faint mae hi'n ei wario?

**Galwch bris hufen iâ yn '*x*' a chyfanswm yr arian yn '*y*' – yna lluniwch ddau hafaliad a'u datrys yn y ffordd arferol i ddarganfod *x* ac *y* ... hawdd.**

6) I fynd i Aberacw gall Iwan naill ai yrru 5 milltir i Bontyma ac yna dal trên gan gymryd $2\tfrac{1}{2}$ awr, neu yrru 50 milltir i Gastell Draw ac yna dal trên gan gymryd 2 awr.
Yr un yw'r pellter cyfan y naill ffordd a'r llall ac mae'r ddau drên yn mynd ar yr un buanedd cyfartalog.

Trwy alw'r buanedd yn $x$ mya a'r pellter yn $y$ milltir, darganfyddwch pa mor gyflym mae'r trenau'n mynd a pha mor bell y mae Iwan yn byw o Aberacw.

## 2.14      *Hafaliadau Cydamserol*

7)    Trwy gael gwared ag $y$, darganfyddwch $x$ ac yna darganfyddwch $y$:

   **a)** $6x + y = 25$               **c)** $4x + y = 43$

       $2x + y = 13$                 $3x + y = 33$

   **b)** $5x + y = 34$               **d)** $3x + y = 43$

       $x + y = 10$                  $x + y = 19$

8)    Darganfyddwch $x$ ac $y$:

   **a)** $x + 4y = 34$               **c)** $x + 6y = 60$

       $x + y = 13$                  $x + 3y = 30$

   **b)** $x + 4y = 110$             **d)** $x + 8y = 155$

       $x + 2y = 60$                $x + 5y = 110$

9)    Darganfyddwch $x$ ac $y$ drwy gael gwared ag $y$ yn gyntaf;

   **a)** $4x + y = 14$               **c)** $4x + 3y = 26$

       $3x + 2y = 13$               $x + y = 8$

   **b)** $3x + 4y = 19$            **d)** $5x + 2y = 23$

       $x + 2y = 7$                 $3x + 4y = 25$

10)    Darganfyddwch $x$ ac $y$, y tro hwn drwy gael gwared ag $x$:

   **a)** $2x + 7y = 16$            **c)** $2x + 5y = 29$

       $4x + 3y = 10$              $x + 2y = 14$

   **b)** $x + 4y = 13$               **d)** $x + 3y = 16$

       $3x + 5y = 18$              $3x + 2y = 27$

11)    Lluoswch <u>y ddau</u> hafaliad i gael gwared ag $y$, yna darganfyddwch $x$ ac $y$:

   **a)** $5x + 2y = 20$            **c)** $11x + 5y = 16$

       $7x + 3y = 29$              $5x + 7y = 12$

   **b)** $8x + 3y = 53$            **d)** $13x + 2y = 34$

       $3x + 4y = 40$              $4x + 3y = 20$

12)    Lluoswch <u>y ddau</u> hafaliad i gael gwared ag $x$, yna darganfyddwch $x$ ac $y$:

   **a)** $4x + 7y = 48$            **c)** $2x + 11y = 87$

       $3x + 5y = 35$              $3x + 7y = 64$

   **b)** $3x + 11y = 17$          **d)** $4x + 7y = 25$

       $5x + 9y = 19$              $5x + 3y = 14$

13)    Darganfyddwch $x$ ac $y$ yn y canlynol:

   **a)** $4x + 11y = 87$         **d)** $23x + 2y = 89$

       $x + 2y = 18$              $11x + y = 43$

   **b)** $2x + 7y = 25$            **e)** $2x + 9y = 218$

       $3x + 4y = 18$              $5x + 12y = 524$

   **c)** $7x + 4y = 57$            **f)** $5x + 4y = 490$

       $4x + 5y = 38$              $2x + 3y = 280$

# 2.14 Hafaliadau Cydamserol

Mae'n rhaid i chi luosi'r ddau hafaliad yn awr – cofiwch ysgrifennu pob cam neu fe gewch drafferth gyda'r rhain.

14) Lluoswch y ddau hafaliad â rhif cyn adio neu dynnu. Datryswch yr hafaliadau.

a) $3x + 2y = 13$
$2x + 3y = 7$

b) $4x + 2y = 10$
$7x + 3y = 16$

c) $2x + 3y = 16$
$3x + 2y = 9$

d) $6x - 3y = 3$
$5x - 2y = 4$

e) $7x - 3y = 18$
$5x + 2y = 17$

f) $11x - 3y = 8$
$9x + 4y = 13$

g) $7y - 3x = 2$
$5y - 2x = 2$

h) $5x - 8y = 12$
$4x - 7y = 9$

i) $4x - 2y = -6$
$5x + 3y = 20$

j) $7x + 5y = 66$
$3x - 4y = 16$

k) $10x + 4y = 2$
$8x + 3y = 1$

l) $3x + 4y = 19$
$4x - 3y = -8$

Mae'r cwestiynau nesaf yn dipyn o gymysgedd – mae peth ad-drefnu, peth lluosi a pheth adio neu dynnu. Mwynhewch.

15) Datryswch yr hafaliadau cydamserol canlynol:

a) $4x - y = 5$
$2x + y = -2$

b) $5x - 4 = 4y$
$2y + 2 = x$

c) $4x - 3y = 15$
$2x + 3y = 3$

d) $3x + 8y = 24$
$x + y = 3$

e) $3y - 8x = 24$
$3y + 2x = 9$

f) $y = 13 - 4x$
$3x + 2y = 16$

g) $2x - 3y = 1$
$11y - 7x = 5$

h) $y + 1 = 2x$
$y = x + 2$

16) a) Gan ddefnyddio'r raddfa 2cm i 1 uned i gael gwell manwl gywirdeb, lluniwch echelinau o $-1$ i $+2$ i gyfeiriad $x$ ac o $-2$ i $+1$ i gyfeiriad $y$.

b) Lluniwch graffiau'r llinellau $x + 2y = 2$ a $2x - y = 2$.

c) Darganfyddwch gyfesurynnau'r pwynt lle maen nhw'n croesi (i 1 lle degol).

17) Mae Emyr a Ffion yn gweithio mewn ffatri bysgod. Cyfradd arferol y cyflog yw £N yr awr. Cyfradd goramser (*overtime*) yw £E yr awr.

a) Mae Emyr yn gweithio 42 awr ar y gyfradd arferol a 3.5 awr ar y gyfradd goramser. Gan ddefnyddio N ac E, ysgrifennwch fynegiad ar gyfer cyfanswm ei enillion.

b) Mae Ffion yn gweithio 40 awr ar y gyfradd arferol a 7 awr ar gyfradd goramser. Ysgrifennwch fynegiad tebyg ar gyfer cyfanswm ei henillion.

c) Mae Emyr yn ennill £189 ac mae Ffion yn ennill £202. Lluniwch ddau hafaliad cydamserol a'u datrys i ddarganfod gwerthoedd N ac E.

18) Mae gan ddau fetel ddwyseddau gwahanol, S ac L. Cânt eu toddi a'u cymysgu i ffurfio aloiau o'r ddau fetel. Màs 1cm³ o'r metel cyntaf wedi'i gymysgu ag 1cm³ o'r ail fetel yw 30 gram. Màs 2cm³ o'r metel cyntaf wedi'i gymysgu â 3cm³ o'r ail fetel yw 71 gram. Cyfrifwch y dwyseddau S ac L.
(Màs = Cyfaint × Dwysedd)

Ydy, mae hwn yn ymddangos yn anodd – ond gallwch gyfrifo màs pob aloi yn nhermau S ac L, gan ddefnyddio'r fformiwla a roddwyd. Yna rhowch y ddau fynegiad yn hafal i'r màs mewn gramau a roddwyd, a dyna'ch pâr o hafaliadau cydamserol.

# 2.15 Anhafaleddau

1) Gan ddefnyddio arwyddion anhafaledd, mynegwch amrediad y gwerthoedd ar gyfer pob un o'r newidynnau *a*, *b*, *c*, *d*, *e*, a ddangosir ar y llinell rif hon:

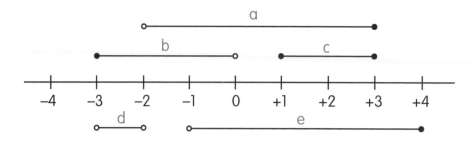

2) Defnyddiwch linell rif i ddarlunio'r gosodiadau anhafaledd hyn:
   a) $-5 < x < 2$
   b) $-2 \leqslant y \leqslant 0$
   c) $-1 \leqslant z < 3$
   d) $0 < w \leqslant 4$

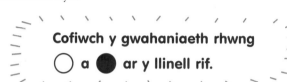

Cofiwch y gwahaniaeth rhwng ◯ a ● ar y llinell rif.

3) Datryswch y canlynol:
   a) $5x < 12$
   b) $x - 4 \leqslant 1$
   c) $3x + 17 < 27$
   d) $2(x - 6) < 1$
   e) $15x - 2 \leqslant 11x + 14$
   f) $(x + 1)/3 \leqslant 2$
   g) $3(x - 2)/4 < 2$
   h) $6(x + 1) < x + 11$

4) Gall cwch gario uchafswm cyfreithlon o 200 o deithwyr. Os bydd llai na 30 o bobl ar daith bleser, ni chaiff elw ei wneud. Os *n* yw nifer y teithwyr ar daith, ysgrifennwch osodiad anhafaledd ar gyfer *n*, os ydy'r daith i fod yn gyfreithlon ac yn broffidiol.

5) Mae Cerys yn cyllidebu y bydd hi'n gwario uchafswm o £2000 ar redeg ei char flwyddyn nesaf. Mae'n amcangyfrif mai ei chostau sefydlog fydd: yswiriant £350, treth £150, a chynnal a chadw £300. Mae'n amcangyfrif hefyd y bydd yn costio 10c y filltir i redeg y car (tanwydd a thraul).

   a) Os *d* yw nifer y milltiroedd y mae hi'n disgwyl eu teithio yn ystod y flwyddyn, ysgrifennwch osodiad anhafaledd ar gyfer gwerth *d*.

   Mae angen amrediad o werthoedd ar gyfer hyn...
   Cymerwch ofal â'r unedau... rhaid newid y ceiniogau yn £, neu fydd yr ateb ddim yn gwneud synnwyr.

   b) Cyfrifwch y nifer mwyaf o filltiroedd y gall hi fforddio eu teithio.

   Datryswch yr anhafaliad ...

   c) Beth fydd ei chost gyfartalog am bob milltir, gan gynnwys y costau i gyd, os bydd hi'n gyrru dwy ran o dair o'r pellter mwyaf hwn? (Rhowch yr ateb mewn ceiniogau, i 1 lle degol.)

   Hawdd – cyfanswm y gost ÷ nifer mwyaf o filltiroedd... newidiwch nhw'n ôl yn geiniogau.

# 2.16       *Anhafaleddau*

6)    **a)** Os ydy lolipop yn costio 80c a bod hufen iâ drud iawn yn costio 120c, ysgrifennwch fynegiadau ar gyfer cost y canlynol mewn ceiniogau:
     **i)** $x$ lolipop
     **ii)** $y$ hufen iâ drud iawn
     **iii)** $x$ lolipop ac $y$ hufen iâ drud iawn.
   **b)** Os oes gennyf uchafswm o £4 i'w wario, ysgrifennwch osodiad anhafaledd sy'n cynnwys $x$ ac $y$.
   **c)** Os byddaf yn penderfynu prynu un hufen iâ drud iawn yn unig, datryswch yr anhafaledd i ddarganfod sawl lolipop y gallwn eu prynu?

7)    **a)** Lluniwch echelinau o $-5$ i $+5$ i bob cyfeiriad, ac ar y graff tynnwch y llinell $y = x + 2$.
   **b)** Trwy dywyllu, dangoswch y rhanbarth lle mae $y > x + 2$ a'r rhanbarth lle mae $y < x + 2$.
   **c)** Sut y gallwch brofi, heb ddefnyddio'r graff,
     **i)** fod y pwynt $(-2,3)$ uwchlaw'r llinell
     **ii)** fod y pwynt $(2,4)$ ar y llinell
     **iii)** fod y pwynt $(-1,-4)$ islaw'r llinell?

**Amnewid (rhoi gwerthoedd i mewn) sydd ei angen...**

8)    Mae'r llinell $y = -x - 1$ yn cael ei thynnu ar graff.
Heb dynnu'r llinell, rhannwch y pwyntiau canlynol yn dri grŵp,
   **a)** pwyntiau uwchlaw'r llinell
   **b)** pwyntiau ar y llinell
   **c)** pwyntiau islaw'r llinell:
     **i)** $(2,0)$        **iv)** $(1,-2)$
     **ii)** $(1,4)$        **v)** $(-3,1)$
     **iii)** $(-2,-2)$    **vi)** $(3,-2)$

9)    **a)** Gan ddefnyddio'r raddfa 2cm i 1 uned, lluniwch echelinau o 0 i 6 i gyfeiriad $x$, ac o 0 i 5 i gyfeiriad $y$.
   **b)** Tynnwch y llinell $4x + 5y = 20$.
   **c)** Tywyllwch y rhanbarth sy'n bodloni'r anhafaledd $4x + 5y < 20$.
   **d)** Trwy edrych ar gyfesurynnau pwyntiau yn y rhanbarth tywyll, rhestrwch bob pâr posibl o werthoedd rhifau cyfan o $x$ ac $y$, uwchlaw 0, fel bo $4x + 5y < 20$.

10)    Mae siop yn cynnig llyfrau ar werth am naill ai £3 neu £5 yr un. Mae gan Siôn £30 i'w wario.
Tybiwch ei fod yn prynu $x$ o lyfrau am £3 yr un ac $y$ o lyfrau am £5 yr un.
   **a)** Beth yw ystyr yr anhafaledd $3x + 5y \leqslant £30$ yn y sefyllfa hon?
   **b)** Lluniwch echelinau o 0 i 11 i gyfeiriad $x$ ac o 0 i 7 i gyfeiriad $y$ (Graddfa 1cm i 1 uned) a thywyllwch y rhanbarth sy'n cael ei ddisgrifio gan yr anhafaledd hwn.
   **c)** A thybio ei fod yn prynu o leiaf 2 o bob math o lyfrau, rhestrwch y gwahanol gyfuniadau o'r ddau y gall fforddio eu prynu.

**Mae gennych ddau anhafaledd ychwanegol yn awr... felly bydd angen tynnu'r ddwy linell ychwanegol – yna cymerwch bob un o'r cyfesurynnau rhifau cyfan yn y triongl a wnaethoch.**

## 3.1        *Polygonau*

**Mae'n siŵr y cewch gwestiwn ar <u>Onglau Mewnol ac Allanol</u> – felly dysgwch y ddwy fformiwla hynny – a chofiwch gyfrifo'r <u>ongl Allanol yn gyntaf</u>, yna'r ongl <u>Fewnol</u>.**

1)    Lluniwch y polygonau rheolaidd hyn drwy ddechrau bob tro â chylch o radiws 5cm:

     **a)**   triongl hafalochrog

     **b)**   sgwâr

     **c)**   pentagon

     **d)**   hecsagon

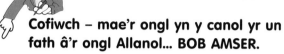

**Cofiwch – mae'r ongl yn y canol yr un fath â'r ongl Allanol... BOB AMSER.**

   Gwnewch yn siŵr eich bod yn llunio'r onglau yn y canol yn ofalus iawn ag onglydd.

2)    Ar gyfer pob ffigur a luniwyd gennych yng Nghwestiwn 1, gwiriwch fod yr ochrau'n hafal. Ysgrifennwch hyd un ochr ar gyfer pob ffigur. Beth sylwch chi yn achos yr hecsagon?

3)    Dydy'r diagramau canlynol ddim wedi'u lluniadu wrth raddfa. Cyfrifwch yr onglau a nodwyd. Gyda pholygonau rheolaidd, defnyddiwch y ffaith fod y trionglau i gyd yn isosgeles.

**O na... polygonau afreolaidd – ddim mor gyfleus o bell ffordd. Dim ond fformiwlâu ar gyfer symiau yr onglau allanol a mewnol sydd gennych (tud. 69 yn Y Llawlyfr Adolygu), felly mae gennych fwy o waith i'w wneud...**

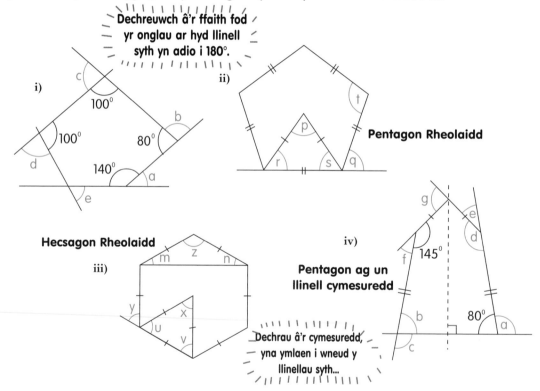

4)    Mae bandstand yn cael ei adeiladu ar siâp octagon rheolaidd (8 ochr).

     **a)**   Cyfrifwch faint yr onglau a nodwyd.

     **b)**   Lluniwch gynllun manwl gywir o'r bandstand, gan ddefnyddio'r raddfa 1cm i 1m, os ydy'r radiws yn 4 metr.

     **c)**   Mesurwch yr 8 ymyl yn ofalus ac ysgrifennwch hyd pob un (dylen nhw i gyd fod yn hafal).

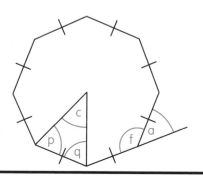

# 3.1      *Polygonau*

Peidiwch â phoeni os nad oes gennych ddarlun – mae'r fathemateg yn <u>union yr un fath</u>. Mae'n rhaid i chi weld pa un yw'r ongl allanol a pha un yw'r ongl fewnol, ond mae hynny'n eithaf amlwg...

5)    Mae'r diagramau hyn yn dangos rhannau o bolygonau rheolaidd.
      Cyfrifwch yr onglau mewnol ac allanol ym mhob diagram.

### i) Decagon Rheolaidd (10 ochr)

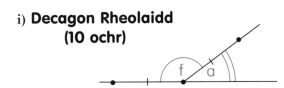

### ii) Polygon Rheolaidd 15 ochr

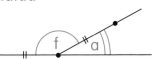

### iii) Polygon Rheolaidd 20 ochr

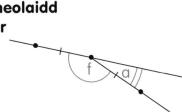

### vi) Polygon Rheolaidd 24 ochr

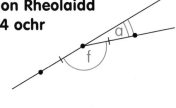

**Mae'r un nesaf ychydig yn wahanol, am eich bod yn gweithio tuag yn ôl – defnyddiwch yr <u>ongl fewnol</u> i ddarganfod yr <u>ongl allanol</u>... yna defnyddiwch hon i ddarganfod <u>nifer yr ochrau</u>. Hawdd.**

6)    Darganfyddwch nifer yr ochrau sydd i bolygon rheolaidd ag ongl FEWNOL o:

    a) $140°$       b) $150°$       c) $160°$       d) $168°$       e) $170°$

7)    Pentagon rheolaidd yw JKLMN ac mae'r croesliniau JL a JM wedi'u cysylltu. Oherwydd cymesuredd y pentagon, mae'r tri thriongl yn isosgeles, ac mae'r trionglau ar y chwith a'r dde yn gyfath (yr un siâp a'r un maint).

    a) Beth yw maint ongl allanol pentagon rheolaidd?
    b) Cyfrifwch yr ongl JNM.
    c) Cyfrifwch yr onglau NMJ ac NJM.
    d) Beth yw maint yr ongl NML?
    e) Cyfrifwch yr onglau JML a JLM.
    f) Cyfrifwch yr ongl MJL.
      Rhowch reswm dros bob cam.

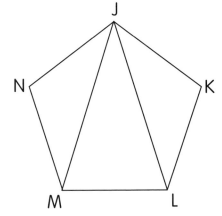

**Bob tro y byddwch yn cyfrifo ongl, <u>marciwch hi ar y diagram</u> (hyd yn oed yr onglau allanol i gyd) ... bydd hi'n haws gweld beth sy'n digwydd wedyn, credwch chi fi.**

# 3.2 Cymesuredd

1) Mae gan y siapiau hyn fwy nag un llinell cymesuredd. Lluniwch y llinellau cymesuredd gan ddefnyddio llinellau toredig.

A phren mesur wrth gwrs

a)

b)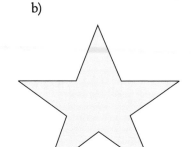

c)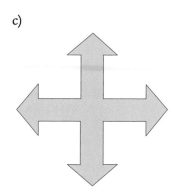

Mae'r cwestiynau hyn yn hawdd iawn os defnyddiwch bapur dargopïo – a chofiwch y gallwch ddefnyddio papur dargopïo yn yr arholiad, felly ewch â pheth gyda chi neu gofynnwch amdano.

2) Ysgrifennwch drefn cymesuredd cylchdro pob un o'r siapiau canlynol:

a)

sgwâr

b)

petryal

c)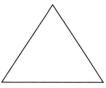

triongl hafalochrog

d)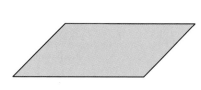

paralelogram

 Dim ond ychydig o'r 'Siapiau y dylech eu hadnabod' yw'r rhain – felly dylech wybod y cyfan am eu cymesuredd... os nad ydych, edrychwch ar dud. 62 yn Y Llyfr Adolygu i'ch atgoffa eich hun.

3) Enwch bob un o'r solidau hyn. Lluniwch un plân cymesuredd os oes un:

a)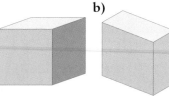

b)

c)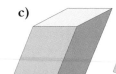

d)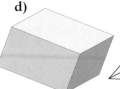

e)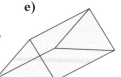

f)

g)

h)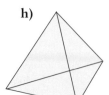

i)

j)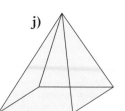

 Mae llunio planau cymesuredd yn dipyn o boendod, ond os lliwiwch nhw'n wahanol i weddill y gwrthrych bydd yn haws o lawer i'w gweld.

# 3.2 Cymesuredd

4) Darganfyddwch drefn cymesuredd cylchdro pob un o'r siapiau canlynol:

a)

b)

c)

d)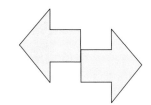

**Gallwch weithio allan y cymesuredd cylchdro drwy roi eich pensil yng nghanol y siâp a throi eich llyfr o amgylch – nodwch sawl gwaith y bydd y siâp yn edrych yr un fath cyn i'r llyfr ddychwelyd i'w safle gwreiddiol.**

5) Cwblhewch y diagramau canlynol fel bo ganddynt gymesuredd cylchdro o amgylch canol C yn ôl y drefn a nodir:

a) trefn 2

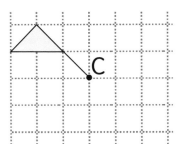

b) trefn 4

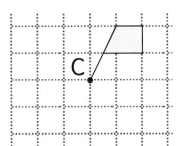

c) trefn 3

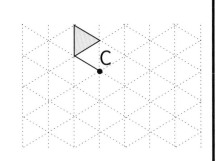

**Does gen i ddim syniad pam, ond maen nhw'n hoffi rhoi priflythrennau mewn cwestiynau ar gymesuredd, felly gwnewch yn siŵr eich bod yn eu gwybod <u>nhw i gyd</u>.**

6) a) Sawl llinell cymesuredd sydd gan y priflythrennau canlynol?

i)

ii)

iii)

iv)

# N T S C

b) Beth yw trefn cymesuredd cylchdro pob un o'r priflythrennau hyn?

# 3.3   Siapiau y Dylech eu Hadnabod

1)   Cyfrifwch yr onglau sydd wedi'u marcio.

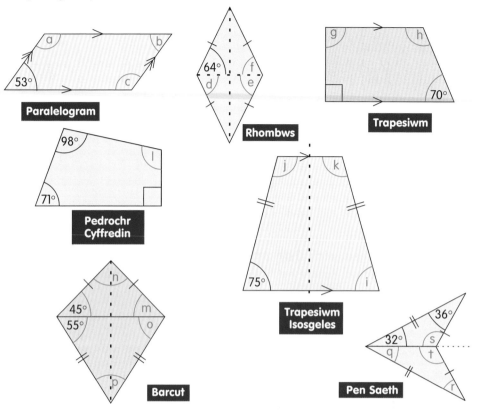

2)   Dyma siart llif sy'n nodi pedrochrau. Copïwch ef a'i gwblhau, gan roi'r llythrennau ar gyfer y siapiau yn y bocsys ar hyd y gwaelod:

A) Paralelogram
B) Trapesiwm
C) Petryal
D) Sgwâr
E) Pedrochr Cyffredin

F) Rhombws
G) Barcut
H) Pen Saeth
I)  Trapesiwm Isosgeles
     (Trapesiwm â llinell cymesuredd)

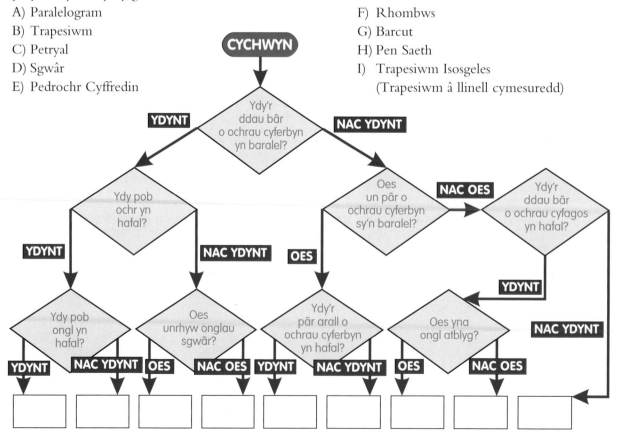

# 3.3     *Siapiau y Dylech eu Hadnabod*

3)    Hyd ochrau cae sgwâr yw 0.3km. Beth yw arwynebedd y cae?

4)    Arwynebedd sgwâr yw 0.04m². Beth yw hyd pob ochr?

5)    Darganfyddwch arwynebedd y petryalau hyn mewn metrau sgwâr:

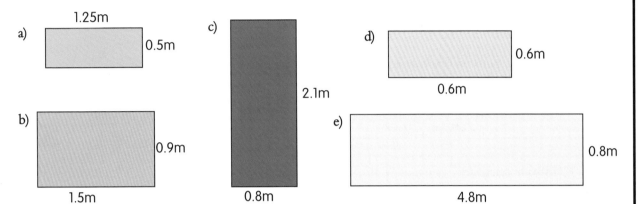

**Marciau hawdd – hyd wedi'i luosi â lled, a dyna'r arwynebedd.**

6)    **a)** Darganfyddwch arwynebedd y trionglau hyn, i 1 lle degol:

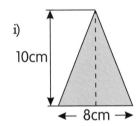 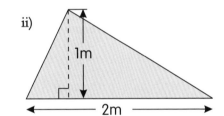 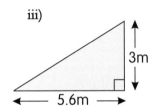

     **b)** Os ydy arwynebedd triongl yn 10cm² a'i sail yn 5cm, beth yw ei uchder fertigol?

     **c)** Darganfyddwch arwynebedd y paralelogram hwn:

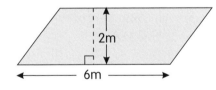

7)    **a)** Ysgrifennwch y fformiwla ar gyfer arwynebedd trapesiwm, gan ddefnyddio'r llythrennau a roddir yn y diagram.

     **b)** Darganfyddwch arwynebedd y ddau drapesiwm canlynol:

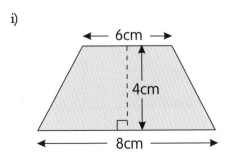 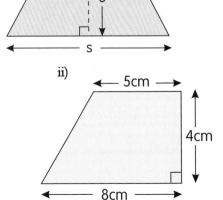

# 3.5 Cylchoedd

1) Cyfrifwch gylchedd y canlynol (i 1 lle degol), gan ddefnyddio π = 3.14
   a) olwyn â'i diamedr yn 65cm
   b) bwrdd crwn â'i ddiamedr yn 88cm
   c) tun â'i ddiamedr yn 8.5cm
   d) powlen â'i diamedr yn 15.3cm
   e) cylch syrcas â'i ddiamedr yn 21m
   f) y lleuad (ei diamedr yw 2160 o filltiroedd, rhowch yr ateb i'r 10 milltir agosaf).

2) I 1 ffig. yst., beth yw arwynebedd arwyneb pwll crwn â'i ddiamedr yn 200m?

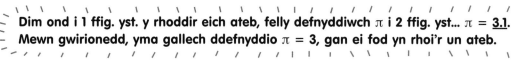 

**Dim ond i 1 ffig. yst. y rhoddir eich ateb, felly defnyddiwch π i 2 ffig. yst... π = 3.1. Mewn gwirionedd, yma gallech ddefnyddio π = 3, gan ei fod yn rhoi'r un ateb.**

3) Cyfrifwch gylchedd y canlynol. Y tro hwn defnyddiwch π = 3.142 a rhowch yr atebion yn gywir i 2 le degol:
   a) olwyn bwli â'i radiws yn 5.25cm
   b) olwyn lori â'i radiws yn 95cm
   c) pibell â'i radiws yn 0.85cm
   d) plât metel crwn â'i radiws yn 4.35cm
   e) disg â'i radiws yn 7.25cm

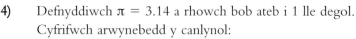

**Mae cylchoedd yn iawn – y rhan waethaf yw cofio pa fformiwla i'w defnyddio.**

4) Defnyddiwch π = 3.14 a rhowch bob ateb i 1 lle degol.
   Cyfrifwch arwynebedd y canlynol:
   a) plât â'i radiws yn 14cm
   b) hambwrdd â'i radiws yn 25cm
   c) dysgl loeren â'i radiws yn 50cm
   d) ynys groesi gron â'i radiws yn 22m
   e) cylch syrcas â'i radiws yn 32 troedfedd
   f) faint o lawnt a gafodd ei ddyfrhau gan ysgeintell dro (spinkler) sy'n taflu dŵr hyd at 5 metr
   g) faint o'r wlad a wasanaethir gan orsaf deledu sy'n anfon ei signalau hyd at 70 milltir o'r trosglwyddydd.

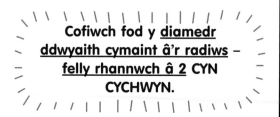

**Cofiwch fod y diamedr ddwyaith cymaint â'r radiws – felly rhannwch â 2 CYN CYCHWYN.**

5) Cyfrifwch arwynebedd trawstoriad:
   a) pibell â'i diamedr yn 3.5cm
   b) piler carreg â'i ddiamedr yn 85cm
   c) boncyff â'i ddiamedr yn 1.25m
   d) twnnel â thwll crwn â'i ddiamedr yn 12.5m
   e) baril reiffl â'i diamedr yn 0.22 modfedd
   f) prif ddraen â'i ddiamedr yn 1.85m
   Defnyddiwch π = 3.142 a rhowch eich atebion i 2 le degol.

# 3.4 Perimedrau ac Arwynebedd

1) Cyfrifwch berimedr y siapiau canlynol:

i)

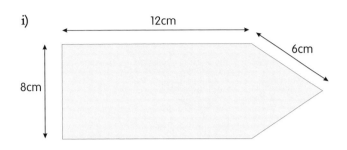

12cm

6cm

8cm

ii)

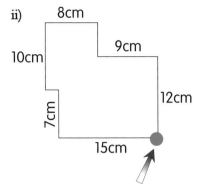

8cm

10cm

9cm

7cm

12cm

15cm

**Adiwch hydoedd yr holl ochrau... ac mae gennych DDULL Y SMOTYN MAWR i'ch helpu. Mae'n gweithio'n dda bob tro, felly cofiwch ei ddefnyddio.**

2) Mae gan stadiwm betryal yn y canol sydd â'i hyd yn 125m a'i led yn 80m. Mae'r naill ben a'r llall ar ffurf hanner cylch. Mae trac rhedeg yn mynd yr holl ffordd o amgylch.

a) Beth yw cyfanswm hyd y ddau ben crwm o'r trac ar y tu mewn?

b) Beth yw cyfanswm y pellter o amgylch y trac ar y tu mewn?

c) Beth yw'r arwynebedd y tu mewn i'r trac?

(Defnyddiwch π = 3.14. Rhowch yr atebion i 1 lle degol.)

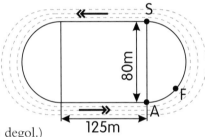

S

80m

125m

F

A

3) Mae gardd ffurfiol ar siâp paralelogram wedi cael ei rhannu'n 4 gwely blodau:

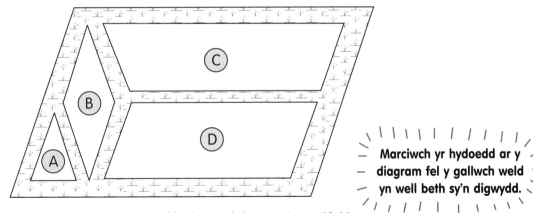

C

B

D

A

**Marciwch yr hydoedd ar y diagram fel y gallwch weld yn well beth sy'n digwydd.**

Triongl yw gwely A, â'i sail yn 9 troedfedd a'i uchder yn 12 troedfedd.

Rhombws yw gwely B, â'i groeslin hir yn 32 troedfedd a'i groeslin fer yn 12 troedfedd.

Trapesiwm yw gwely C, â'i ochrau paralel yn 55 troedfedd a 40 troedfedd a'i uchder perpendicwlar yn 18 troedfedd.

Paralelogram yw gwely D, â'i hyd yn 40 troedfedd a'i uchder perpendicwlar yn 45 troedfedd.

Hyd yr ardd gyfan yw 72 troedfedd a'i huchder perpendicwlar yw 45 troedfedd.

a) Cyfrifwch arwynebedd pob gwely blodau.

b) Cyfrifwch arwynebedd yr ardd gyfan.

c) Trwy dynnu, cyfrifwch gyfanswm arwynebedd y llwybrau sydd o amgylch y gwelyau blodau.

# 3.6 Cyfaint

1) Cyfrifwch gyfaint y prismau canlynol:

a) Ciwboid

4.8m² 3.2m

b) Prism Trionglog
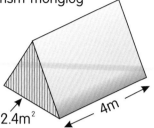
2.4m² 4m

c) Silindr
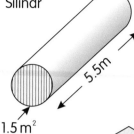
5.5m
1.5 m²

d) "Trapesoid"
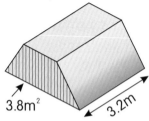
3.8m² 3.2m

e)
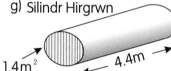
3.0m
1.28m²

f)
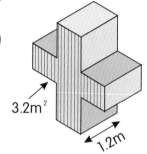
3.2m²
1.2m

g) Silindr Hirgrwn

1.4m² 4.4m

h)
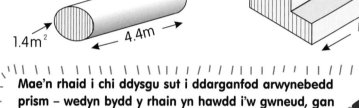
1.28m²
4.8m

Mae'n rhaid i chi ddysgu sut i ddarganfod arwynebedd prism – wedyn bydd y rhain yn hawdd i'w gwneud, gan y byddwch yn eu gwneud nhw i gyd yr un ffordd.

Mae'r siapiau hyn yn ymddangos braidd yn anodd, ond rhoddir arwynebedd y trawstoriad i chi – a dyna'r rhan anodd.

2) Uchder pabell fach yw 1.2m a'i lled yw 1.4m. Ei hyd yw 2.3m.
   a) Cyfrifwch arwynebedd y trawstoriad trionglog, m².
   b) Cyfrifwch y cyfaint mewn m³.

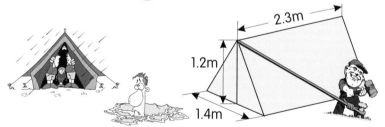
2.3m
1.2m
1.4m

3) Radiws pwll crwn yw 1.2m a'i ddyfnder yw 60cm o ddŵr.
   a) Cyfrifwch arwynebedd arwyneb y dŵr mewn m². (Defnyddiwch π = 3.14)
   b) Cyfrifwch gynhwysedd y pwll mewn litrau, i'r 100 litr agosaf. (1m³ = 1000 o litrau)

4) Diamedr peipen ddŵr fawr yw 50cm.
   a) Cyfrifwch:
      i) y radiws
      ii) arwynebedd y trawstoriad (Defnyddiwch π = 3.14)
      iii) y cyfaint am bob metr o'r beipen (mewn cm³)
      iv) faint o ddŵr (mewn litrau i'r litr agosaf) sydd mewn 1m o'r beipen. (1000cm³ = 1 litr)
   b) Os ydy'r dŵr yn y beipen yn symud ar fuanedd o 0.8 metr yr eiliad, sawl litr (i'r 1000 litr agosaf) sy'n cael eu symud mewn awr?

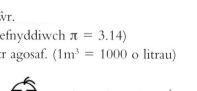
Ydy, mae'n swnio'n amlwg, ond cofiwch newid y metr yn gentimetrau ar gyfer rhannau iii) a iv).

# 3.7 Solidau a Rhwydi

1) Cysylltwch y tri enw hyn â'r lluniadau 2-ddimensiwn o'r siapiau 3-D.

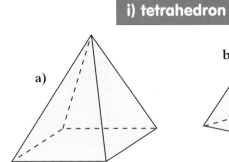

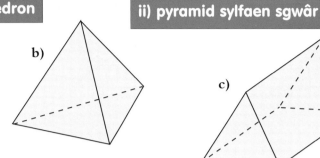

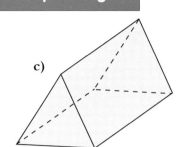

**i) tetrahedron**

**ii) pyramid sylfaen sgwâr**

**iii) prism trionglog**

Mae 2 o'r enwau hyn yn amlwg – o ran y tetrahedron, daw '<u>tetra</u>' o'r gair Groeg am <u>4</u> ac ystyr '<u>hedron</u>' yw '<u>wynebau</u>' ... Iawn?

2) Pa rai o'r rhwydi canlynol fyddai'n gwneud ciwb?

a)

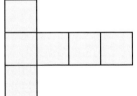

b)

c)

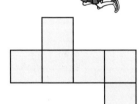

d)

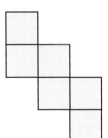

e)

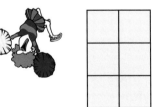

f)

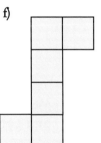

3) Lluniwch rwyd fanwl gywir ar gyfer pob un o'r siapiau solet canlynol:

Mae hynny'n golygu defnyddio'ch pren mesur...

a)

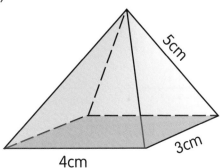

5cm

3cm

4cm

b)

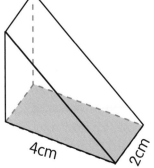

3cm

4cm

2cm

# 3.8             *Geometreg*

1)    Cyfrifwch yr onglau sydd wedi'u nodi. Wrth ymyl pob ateb ysgrifennwch un o'r tri rheswm:
       Onglau o gwmpas pwynt / Onglau ar linell syth / Onglau cyferbyn.

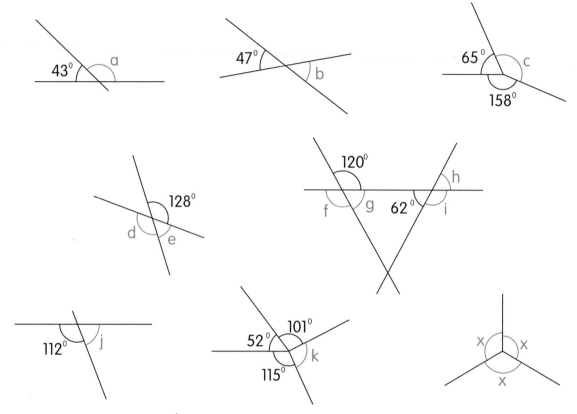

Mae'r cliw yn y cwestiwn – mae angen gwybod y 3 rheol hyn ynglŷn ag onglau...
ond cofiwch nad dyna'r cyfan – mae digon o reolau eraill i'w dysgu hefyd.

2)    Cyfrifwch yr onglau anhysbys yn y trionglau isosgeles hyn:

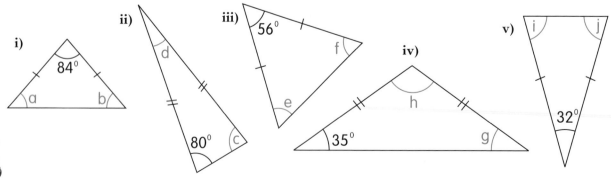

Dwedais fod mwy i ddod... rheolau ynglŷn â thrionglau y tro hwn.
Rhaid i chi wybod yr **8 rheol ynglŷn ag onglau** (tud. **68-69** yn Y Llawlyfr Adolygu).

# 3.8 Geometreg

3) Cyfrifwch yr onglau sydd wedi'u nodi:

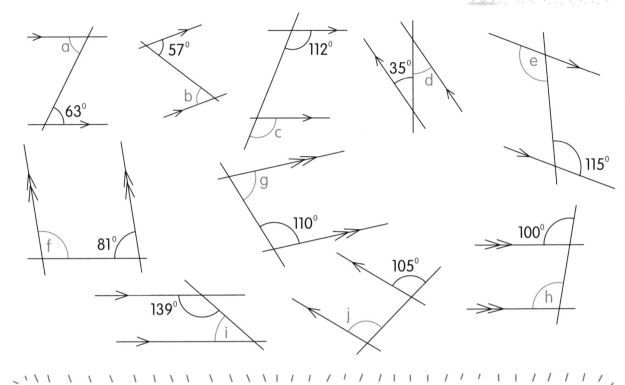

~~~~~~~~~~~~~~~~~~~~~~~~~~~~~~~~~~~~~~~~~~~~~~~~~~~~~~~~~~
**Dechreuwch gwestiynau fel hyn drwy ysgrifennu'r 8 rheol a ddysgwyd gennych. Triwch bob un yn ei thro i weld a allwch gyfrifo unrhyw onglau... os nad ydy'r cyfan gennych erbyn y diwedd, dechreuwch eto.**
~~~~~~~~~~~~~~~~~~~~~~~~~~~~~~~~~~~~~~~~~~~~~~~~~~~~~~~~~~

4) Cyfrifwch bob ongl ym mhob un o'r diagramau:

**Chwiliwch am bethau fel llinellau paralel (y saethau)...**

i)

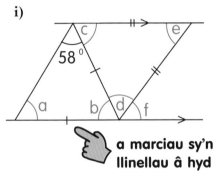

**a marciau sy'n golygu llinellau â hyd hafal...**

ii)

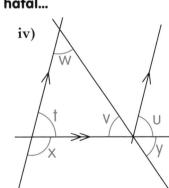

**Byddwch yn gwastraffu llawer o amser os na welwch nhw. Peth felly yw Geometreg.**

iii)

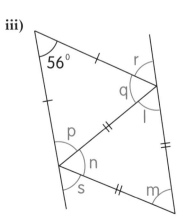

iv)

# 3.9 Nodiant 3 Llythyren Onglau

Mae hyn yr un fath â'r gwaith rydych wedi bod yn ei wneud, ond caiff yr onglau eu hysgrifennu mewn ffordd wahanol.

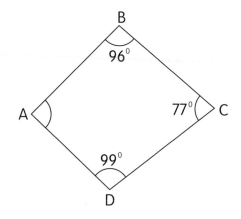

1) Pedrochr yw ABCD.

   a) Ysgrifennwch faint yr ongl ABC.
   b) Ysgrifennwch faint yr ongl BCD.
   c) Ysgrifennwch faint yr ongl CDA.
   d) Ysgrifennwch faint yr ongl DAB.

2) Mewn triongl XYZ, ongl XYZ = 90°, ongl YXZ = 60° ac ongl XZY = 30°.

   Lluniwch fraslun o'r triongl XYZ, gan labelu'n glir X, Y a Z.

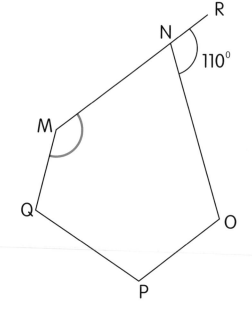

3) Dangosir y pentagon MNOPQ.

   a) O wybod bod yr ongl allanol ONR yn 110°, ysgrifennwch faint yr ongl MNO.
   b) Mae'r onglau NOP, OPQ a PQM i gyd yr un maint â'r ongl ONR. Cyfrifwch faint yr ongl QMN.

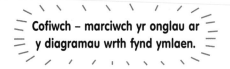

Cofiwch – marciwch yr onglau ar y diagramau wrth fynd ymlaen.

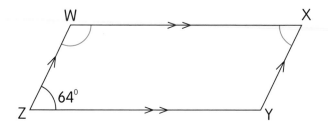

4) Paralelogram yw'r siâp WXYZ.

   a) Mae'r ongl WZY yn 64°.
      Beth yw maint yr ongl WXY?
   b) Cyfrifwch faint yr ongl ZWX.

# 3.10 Theorem Pythagoras

1) Yn y diagram hwn mae ochrau'r triongl ongl sgwâr wedi'u labelu'n $x$, $y$ ac $r$. Copïwch y tabl a'i gwblhau ar gyfer gwahanol werthoedd $x$ ac $y$. Gweithiwch ar draws pob rhes. Mae'r rhes gyntaf wedi'i gwneud ar eich cyfer.

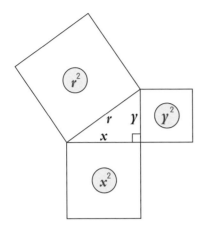

|  | $x$ | $y$ | $x^2$ | $y^2$ | $r^2$ ($x^2 + y^2$) | $r$ Cymerwch yr ail isradd i 3 ll.d. |
|---|---|---|---|---|---|---|
| a) | 3 | 2 | 9 | 4 | 13 | $\sqrt{13} = 3.606$ |
| b) | 7 | 3 |  |  |  |  |
| c) | 10 | 9 |  |  |  |  |
| d) | 15 | 8 |  |  |  |  |

2) Cyfrifwch y pellterau:
   i) AB
   ii) CD
   iii) EF
   iv) GH
   ar y graff hwn. (Rhowch eich atebion i 1 ll.d.)

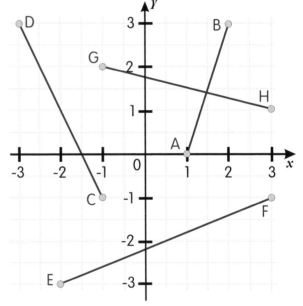

**Dydy'r trionglau ddim yno? Wel, ewch ati i'w ffurfio drwy dynnu'r llinellau yn y mannau iawn.**

3) Darganfyddwch yr hyd anhysbys ym mhob un o'r trionglau hyn – i 2 ffig. yst:

i)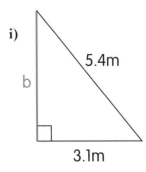

ii)
21 troedfedd
42 troedfedd
c

iii)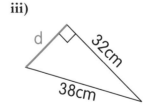
d
32cm
38cm

iv)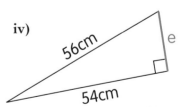
56cm
e
54cm

4) Mae ochrau triongl yn 3cm, 4cm a 4.8cm. Sut y gallwch ddweud, heb ei lunio, nad ydy hwn yn driongl ongl sgwâr?

**Gan fod Theorem Pythagoras yn gweithio bob amser ar gyfer trionglau ongl sgwâr, gallwch bob amser nodi triongl nad yw'n driongl ongl sgwâr, am nad ydy'r Theorem yn gweithio...**

# 3.11       *Geometreg y Cylch*

1)     Ym mhob un o'r rhannau canlynol darganfyddwch yr ongl y gofynnir amdani.

      a)   ∠ABC

      b)   ∠BCA

      c)   ∠BCT

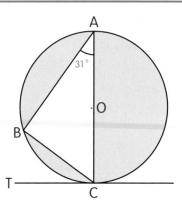

**Cofiwch yr holl waith ar <u>drionglau</u> – bydd ei angen arnoch ar gyfer rhai o'r rhain. Yn enwedig y rhan ynglŷn ag <u>onglau mewnol triongl</u> bob amser yn adio i <u>180°</u>.**

2)     a)   Nodwch faint yr ongl CDE.

      b)   Gan ddefnyddio Theorem Pythagoras, cyfrifwch hyd CD.

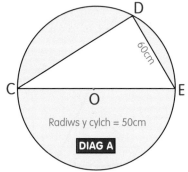

**DIAG A**

Radiws y cylch = 50cm

3)     a)   Nodwch faint yr ongl OYZ.

      b)   Gan ddefnyddio Theorem Pythagoras, cyfrifwch hyd OY os ydy hyd y cord yn 16cm.

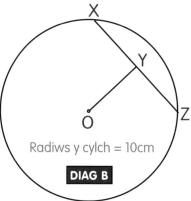

Radiws y cylch = 10cm

**DIAG B**

**O na, dim trionglau. Mae'n debyg y byddwch yn gorfod llunio yma.**

4)     a)   Nodwch faint yr ongl QPR.

      b)   Nodwch faint yr ongl OPR.

      c)   Cyfrifwch yr ongl ROP.

      d)   Darganfyddwch OPQ.

      e)   Cyfrifwch OQP.

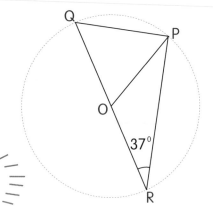

**Dydy hyn ddim yn cael ei nodi, ond <u>mae QR yn ddiamedr</u> ... mae'r O yn y canol yn rhywfaint o gliw – maen nhw bob amser yn galw'r canol yn O neu'n C.**

# 3.12 Cyflunedd a Chyfath

Os nad ydych yn siŵr eu bod <u>yn union</u> yr un fath, mae papur dargopïo yn syniad da bob amser – yna gallwch roi'r naill ar ben y llall a bydd yn haws gweld.

1) Darganfyddwch y parau o siapiau cyfath.

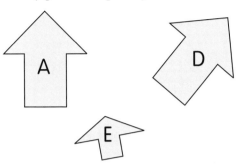

<u>Cofiwch</u> – ystyr cyflun yw bod ganddo'r un cyfraneddau... <u>yr un siâp</u>, <u>maint gwahanol</u>.
Darganfyddwch y lluosydd ar gyfer un ochr a gweld a yw'r un fath ar gyfer y lleill. Hawdd.

2) Dyma dri phetryal. Pa ddau sy'n gyflun?

a)
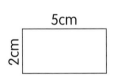

b)

c)

3) Pa ddau o'r tri thriongl hyn sy'n gyflun?

a)
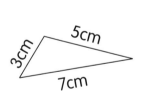

b)
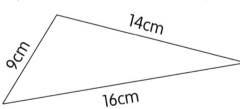

c)
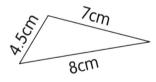

4) Pa rai o'r petryalau canlynol sy'n gyflun â'r petryal hwn?

a)

b)

c)

d)

# 3.13      Y Pedwar Trawsffurfiad

1)    **a)**   Ar bapur graff lluniwch echelinau o −6 i +6 i bob cyfeiriad. Copïwch y siâp OABC a'i adlewyrchiad yn yr echelin $y$, sef OA'B'C'.

      **b)**   Lluniwch adlewyrchiad OABC yn yr echelin $x$ a'i labelu'n OA''B''C''.

      **c)**   Yn olaf lluniwch adlewyrchiad OA'B'C' yn yr echelin $x$ a'i labelu'n OA'''B'''C'''.

      **d)**   Copïwch a chwblhewch siart y cyfesurynnau:

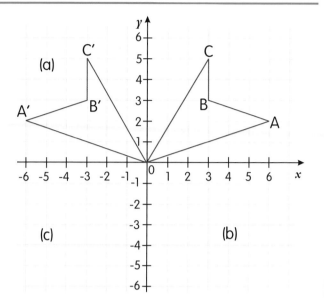

| Gwreiddiol | Adlewyrchiad (a) | Adlewyrchiad (b) | Adlewyrchiad (c) |
|------------|------------------|------------------|------------------|
| A (6, 2) | A' (−6, 2) | A'' (6, −2) | A''' (−6, −2) |
| B ( ) | B' ( ) | B'' ( ) | B''' ( ) |
| C ( ) | C' ( ) | C'' ( ) | C''' ( ) |

      **e)**   Cwblhewch y gosodiadau hyn:
          **i)** Adlewyrchu yn yr echelin $x$, mae arwydd cyfesuryn $y$ yn newid ond ...........
          **ii)** Adlewyrchu yn yr echelin $y$, .................................. ond ..............

**O na! – fectorau... wel, does neb yn hoffi'r rhain, ond bydd yn rhaid i chi eu gwneud. Maen nhw'n cynrychioli pellter penodol i gyfeiriad penodol, dyna'r cwbl.**

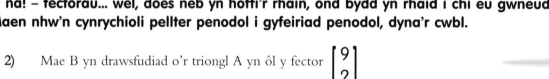

2)    Mae B yn drawsfudiad o'r triongl A yn ôl y fector $\begin{bmatrix} 9 \\ 2 \end{bmatrix}$

     [9 uned i gyfeiriad $x$ positif
     2 uned i gyfeiriad $y$ positif].

     **a)**   Copïwch y diagram ar bapur graff, gan gynnwys y llinellau toredig paralel.

     **b)**   Trawsfudwch A yn ôl y fector $\begin{bmatrix} 6 \\ -4 \end{bmatrix}$
        a dangoswch linellau paralel y trawsfudiad. Labelwch y canlyniad yn C.

     **c)**   Yn awr trawsfudwch A yn ôl y fector $\begin{bmatrix} 0 \\ -6 \end{bmatrix}$
        [Bydd hwn yn symudiad sy'n baralel i'r echelin $y$]. Eto, dangoswch linellau paralel y trawsfudiad. Labelwch y canlyniad yn D.

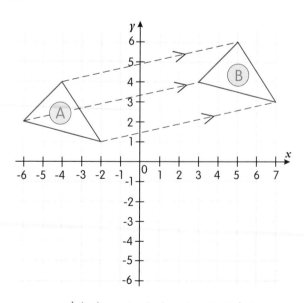

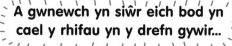

A gwnewch yn siŵr eich bod yn cael y rhifau yn y drefn gywir...

# 3.13     *Y Pedwar Trawsffurfiad*

3)    Yn y cwestiwn hwn mae'r trawsffurfiadau naill ai'n Adlewyrchiad neu'n Gylchdro o amgylch (0,0). Disgrifiwch yn ofalus y trawsffurfiadau sy'n mynd:

a) o P i Q      b) o Q i R
c) o R i S      d) o S i P
e) o R i P      f) o Q i S

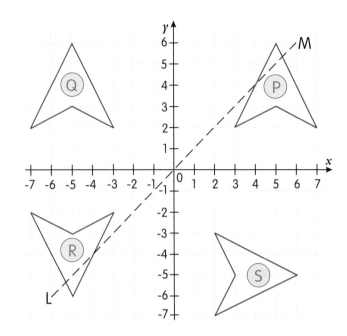

**Dim ond 4 trawsffurfiad sydd – Cylchdro, Adlewyrchiad, Trawsfudiad, Helaethiad. Mae angen i chi eu gwybod nhw i gyd – a chofio CATH wrth i chi eu disgrifio.**

4)    Copïwch a chwblhewch y siart, gan ddefnyddio'r tarddbwynt fel canol yr helaethiad:

Cwblhewch y diagram.

| Gwreiddiol | Helaethiad×2 | Helaethiad×3 |
|---|---|---|
| A (3, 0) | A' (   ) | A" (   ) |
| B (3, 1) | B' (   ) | B" (   ) |
| C (1½, 2) | C' (   ) | C" (   ) |
| D (0, 1) | D' (   ) | D" (   ) |

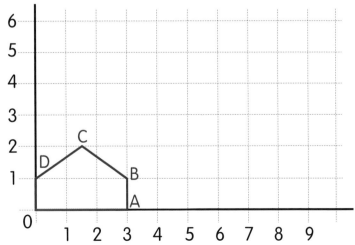

# 3.14 Cyfeiriannau

1) a) Mae pedair llong wedi'u hangori y tu allan i borthladd fel y dangosir. Gwnewch gopi o'r diagram yn ofalus, gan ddefnyddio'r raddfa 1cm i 1km. Marciwch yr holl wybodaeth yn glir.

b) Ar ôl gorffen eich lluniad, tynnwch linellau rhwng safleoedd:
i) 'Merch y Môr' a 'Seren'
ii) 'Seren' a 'Cenhinen Pedr'
Mesurwch a marciwch y pellterau rhwng y llongau hyn (cofiwch ddefnyddio km, nid cm).

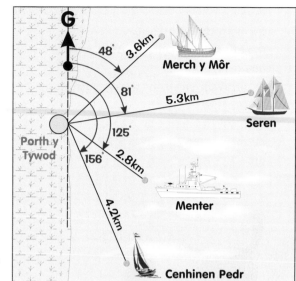

**Bydd cwmpawd bob amser yn pwyntio tua'r Gogledd... Mae'n hawdd mynd ar goll yma, felly <u>cofiwch</u> – mesurwch gyfeiriannau yn <u>glocwedd</u> o'r <u>Gogledd</u> bob amser.**

2) a) Amcangyfrifwch y cyfeiriannau hyn â'ch llygaid.
b) Gwiriwch eich atebion drwy fesur yr onglau ag onglydd.

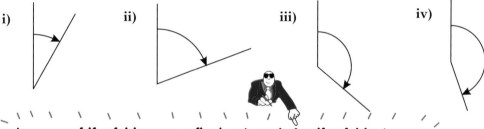

i)    ii)    iii)    iv)

I amcangyfrif cyfeiriannau, cofiwch sut mae'r 4 prif gyfeiriant yn edrych (090°, 180°, 270° a 360°). Yna cymharwch eich un chi â nhw.

3) Mae Santa Maria 4.3km i'r gogledd o Buenavista. O Santa Maria, gellir gweld y mynydd Pico Blanco ar gyfeiriant o 121°, ac o Buenavista mae i'w weld ar gyfeiriant o 077°. Gwnewch luniad wrth raddfa (1cm i 1km) yn ofalus a darganfyddwch bellter Pico Blanco o'r naill dref a'r llall.

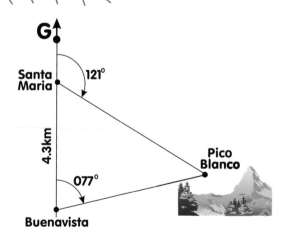

4) a) Amcangyfrifwch y cyfeiriannau hyn â'ch llygaid.
b) Defnyddiwch onglydd neu fesurydd onglau i wirio'ch atebion.

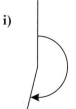 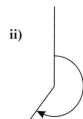 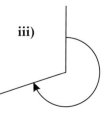 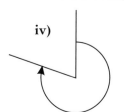 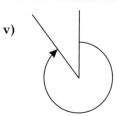

i)    ii)    iii)    iv)    v)

# 3.14 Cyfeiriannau

5) Mae hofrennydd sy'n cludo criw dau lwyfan olew yn cychwyn o Ddinas Olew ac yn hedfan 36km i Lwyfan Alffa ar gyfeiriant o 057°. Ar ôl gollwng rhai o'r gweithwyr mae'n mynd ymlaen i Lwyfan Delta, 41km ymhellach ar gyfeiriant o 153°. Gwnewch luniad wrth raddfa (1cm i 10km) a'i ddefnyddio i ddarganfod:

a) Cyfeiriant Llwyfan Delta o Ddinas Olew.
b) Cyfanswm y pellter y bydd yr hofrennydd wedi'i hedfan os bydd yn dychwelyd yn syth o Delta i Ddinas Olew.

**Gwnewch yn siŵr eich bod yn mesur popeth yn ofalus – dydych chi ddim am golli marciau'n ddiangen...**

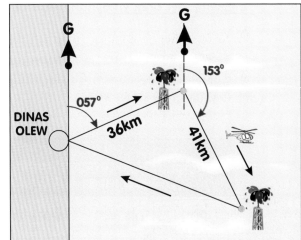

6) Mae copa Ynys Mandraw ar gyfeiriant o 290° o Drwyn y Gwynt a 260° o Draeth Arian. Mae Traeth Arian 5km i'r Gogledd o Drwyn y Gwynt. Gwnewch luniad wrth raddfa (1cm i 1km) a rhowch y cyfeiriannau i mewn. Darganfyddwch:

a) y pellter rhwng y copa a Thraeth Arian a Thrwyn y Gwynt;
b) cyfeiriannau Traeth Arian a Thrwyn y Gwynt o'r copa;
c) y pellter rhwng y copa a Bae Cregyn sydd i'r gogledd o Drwyn y Gwynt ac i'r dwyrain o'r copa.

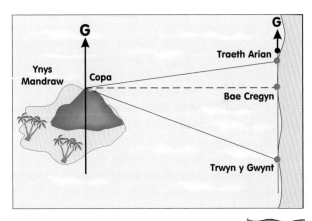

**Gyda llaw, ystyr ôl-gyfeiriant yw'r cyfeiriant yn ôl o Q i P. Braidd yn amlwg, ontydi...**

7) Ym mhob cwestiwn rhoddir i chi y cyfeiriant o P i Q. Cyfrifwch (heb fesur) yr ÔL-GYFEIRIANT o Q i P.

a)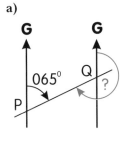

b)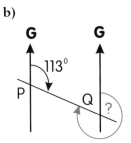

c)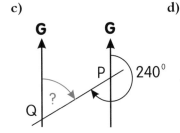

d)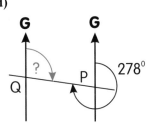

# 3.15 Trigonometreg

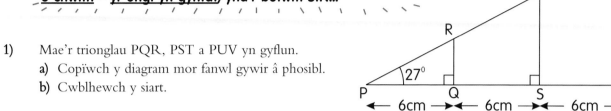

Mae gwir angen i chi wybod eich **fformiwlâu trigonometreg** – byddwch ar goll hebddynt.

Cofiwch, gyda rhai cyfrifianellau, fod yn rhaid eu teipio **o chwith** – **yr ongl yn gyntaf**, yna'r botwm SIN...

1) Mae'r trionglau PQR, PST a PUV yn gyflun.
   a) Copïwch y diagram mor fanwl gywir â phosibl.
   b) Cwblhewch y siart.

| Triongl | cm cyferbyn C (i 1 ll.d.) | cm agos A (i 1 ll.d.) | cm hypotenws H (i 1 ll.d.) | C/H sin (i 3 ll.d.) | A/H cos (i 3 ll.d.) | C/A tan (i 3 ll.d.) |
|---------|---------|---------|---------|---------|---------|---------|
| PQR | QR = | PQ = 6.0 | PR = | QR/PR = | PQ/PR = | QR/PQ = |
| PST | | PS = 12.0 | | | | |
| PUV | | PU = 18.0 | | | | |

2) Defnyddiwch gyfrifiannell i ddarganfod gwerthoedd ar gyfer y canlynol (i 2 le degol):
   a) $\tan(37°) \times 4$
   b) $\cos(60°) \times 7$
   c) $\sin(24°) \times 5$
   d) $\tan(40°) \times 6$
   e) $\sin(32.5°) \times 6$
   f) $\cos(67.5°) \times 8.7$
   g) $\sin(74.5°) \times 3.25$
   h) $\tan(28.3°) \times 8.95$
   i) $\sin(78.5°) \times 10.9$
   j) $\tan(84°) \times 165.4$

**Gwnewch yn siŵr eich bod yn gwybod hefyd sut i ddefnyddio INV SIN, COS etc. ar gyfrifiannell – bydd eu hangen arnoch yma...**

3) Cyfrifwch yr onglau anhysbys i 1 lle degol:

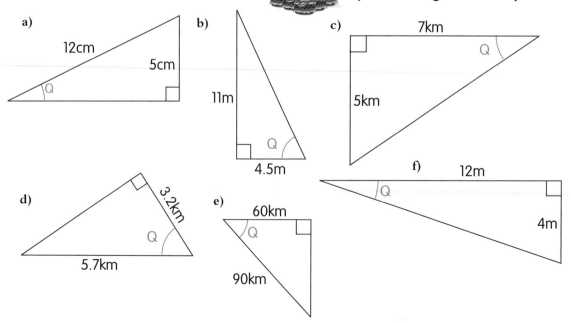

# 3.15 Trigonometreg

4) Darganfyddwch yr hydoedd anhysbys (sydd wedi'u dynodi bob tro gan lythyren):
Rhowch eich atebion i 2 le degol.

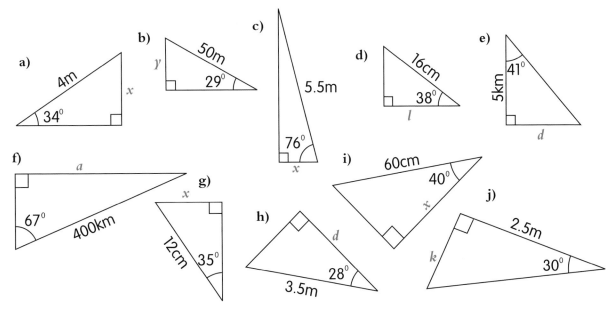

5) Mae trên bach y mynydd yn cychwyn yn Fforddlan (650 troedfedd uwchlaw lefel y môr) ac
mae'n codi ar raddiant cyfartalog o 6° i Uwchfan (2450 o droedfeddi uwchlaw lefel y môr).

**Cymerwch ofal â'r unedau...**

a) Darganfyddwch y pellter mewn
milltiroedd, i 1 lle degol, i fyny trac y
rheilffordd o Fforddlan i Uwchfan.

b) Mae'r trac yn parhau am filltir arall i
Arben, 3475 o droedfeddi uwchlaw lefel
y môr. Darganfyddwch raddiant (θ) y
rhan hon, i'r radd agosaf.

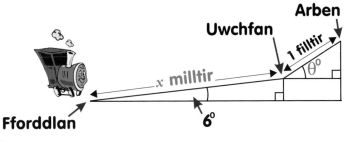

**Cofiwch nad ydy Fforddlan ar lefel y môr...**
**(rhaid gwneud gwaith tynnu yn gyntaf).**

6) Yn agos at gartref Isaac, mae afon yn llifo tua'r de am dipyn.
O Lanfa'r Fferi, mae'r hen Felin Ddŵr tua'r gorllewin dros yr
afon. O Westy'r Samwn, mae'r Felin Ddŵr ar gyfeiriant o
215°. Y pellter rhwng Glanfa'r Fferi a'r Gwesty yw 60.4 o
lathenni. Pa mor llydan yw'r afon?

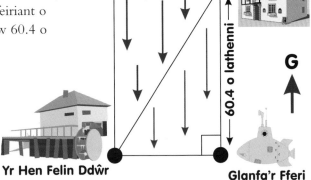

**Cofiwch y gwaith ar gyfeiriannau –**
**rydych yn mesur yn glocwedd o Linell**
**y Gogledd, felly dechreuwch drwy**
**farcio'r ongl o 215°... bydd yn haws**
**darganfod yr ongl sydd ei hangen**
**arnoch.**

# 3.16 Locysau a Lluniadau

1) Mae coeden yn mynd i gael ei phlannu yn yr ardd hon, a phan fydd wedi cyrraedd ei llawn dwf bydd y canghennau'n ymestyn 2m i bob cyfeiriad o'r boncyff. Dydy'r perchennog ddim am i'r canghennau hongian dros ddim o'i ffensys. Dydy hi ddim ychwaith am i unrhyw ran o'r goeden fod o fewn 5m i wal y tŷ neu fe allai rwystro'r golau.

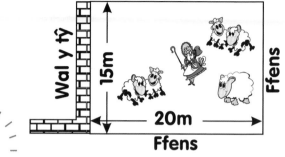

Ffens

Wal y tŷ

15m

Ffens

20m

Ffens

   a) Lluniwch ddiagram yn ôl y raddfa 1cm i 2m i ddangos y rhan o'r ardd lle gellir plannu'r goeden.
   b) Lluniwch wrth raddfa un darluniad posibl o'r goeden yn ei llawn dwf yn ei lle yn yr ardd.

   **Mae 4 prif locws y mae'n rhaid i chi eu gwybod (tud. 80 yn Y Llyfr Adolygu) – bydd unrhyw gwestiwn a gewch yn gyfuniad o'r rhain.**

2) Bydd siop ddodrefn mewn dinas yn dosbarthu am ddim i unrhyw gyfeiriad o fewn radiws o 5 milltir, ar gyfer 5 i 10 milltir byddan nhw'n codi £7, ac ar gyfer 10 i 15 milltir byddan nhw'n codi £15.

   a) Lluniwch ddiagram wrth raddfa, yn ôl y raddfa 2cm i 5 milltir, i ddangos y tair cylchfa (*zone*) wahanol ar gyfer dosbarthu.
   b) Cyfrifwch arwynebedd pob un o'r cylchfaoedd mewn milltiroedd sgwâr.
   (I ddarganfod arwynebedd siâp modrwy, tynnwch arwynebedd y cylch mewnol o arwynebedd y cylch allanol.)

   c) A thybio bod cwsmeriaid yr un mor debygol o ddod o unrhyw le yn y tair cylchfa, pa ganran o gwsmeriaid o fewn radiws o 15 milltir fydd
   **i)** yn cael gwasanaeth dosbarthu am ddim   **ii)** yn talu £7   **iii)** yn talu £15?
   Rhowch atebion i 2 ffigur ystyrlon.

3) Mae ysgeintell ddŵr yn cynnwys bar metel â'i hyd yn 2m, gyda thyllau wedi'u drilio ynddi fel bo'r dŵr yn cyrraedd pellter o 1.5m o bob pwynt ar y bar (gan gynnwys y ddau ben).
   a) Lluniwch ddiagram yn ôl y raddfa 2cm i 1m i ddangos siâp y llecyn gwair y gellir ei ddyfrhau heb symud yr ysgeintell.
   b) Cyfrifwch arwynebedd y llecyn hwn mewn m², i 1 lle degol.

4) Mae'r diagram hwn yn dangos lle tân ochr yn ochr â wal.

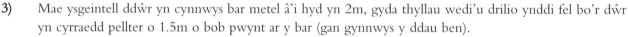

60cm → 30cm

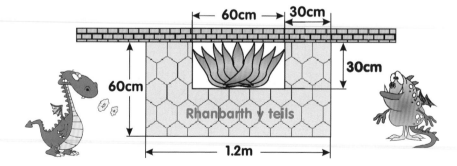

60cm

30cm

Rhanbarth y teils

1.2m

   a) Copïwch y diagram gan ddefnyddio'r raddfa 1cm i 20cm.
   b) Mae gan Mrs Cassie Rees gadeiriau gwerthfawr na ddylid eu rhoi lai nag 1 metr o ymyl rhanbarth y teils. I sicrhau hyn, mae ganddi fat â siâp arbennig a'r rheol yw 'Dim cadeiriau ar y mat'. Lluniwch siâp manwl gywir y mat hwn ar eich diagram.

# 3.16 Locysau a Lluniadau

5) I fordwyo sianel gul, mae'n rhaid i long hwylio rhwng dau fwi (*buoys*) marcio, A a B, fel y bydd yn aros yr un pellter o'r naill fwi a'r llall ar unrhyw adeg. Lluniwch lwybr y llong.

Peidiwch â gadael i air gwirion fel <u>locws</u> eich poeni – mae <u>marciau hawdd</u> ar gael fan yma, ond mae'n rhaid i chi wneud popeth <u>yn daclus</u>, gan ddefnyddio pensil, pren mesur a chwmpas.

A ●◄————— 60 m —————►● B

6) Gellir gwneud y cwestiwn hwn ar bapur sgwariau neu bapur graff gan ddefnyddio grid sgwariau 1cm.

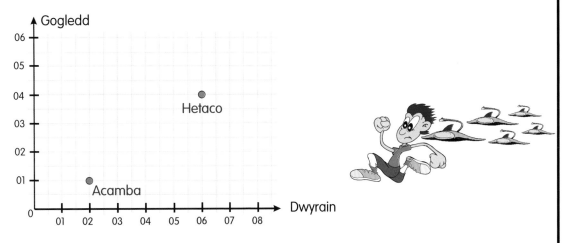

a) Copïwch batrwm y grid a labelwch yr echelinau; marciwch safle cywir y trefi.

b) Y raddfa yw 1cm i 20km. Mae trosglwyddydd teledu yn Acamba yn rhoi derbyniad 'da' hyd at 60km i ffwrdd, a derbyniad 'gwael' am 20km arall y tu hwnt i hynny. Dros 80km i ffwrdd, ni ellir derbyn signalau'n effeithiol o gwbl. Mae trosglwyddydd llai pwerus yn Hetaco yn rhoi derbyniad 'da' hyd at 40km a derbyniad 'gwael' am 20km arall.

Dangoswch yn glir y rhanbarth o amgylch y naill drosglwyddydd a'r llall a all dderbyn signalau. Tywyllwch ranbarthau'r derbyniad 'da', a dangoswch ranbarthau'r derbyniad 'gwael'.

c) Copïwch a chwblhewch y siart hwn i ddangos amodau'r derbyniad mewn pedair tref arall. (Marciwch safle'r trefi ar y map yn gyntaf.)

| Tref | Cyfesurynnau ar y grid | ANSAWDD Y DERBYNIAD | |
| --- | --- | --- | --- |
| | | O Acamba | O Hetaco |
| **Banari** | 0503 | | |
| **Docar** | 0805 | | |
| **Resala** | 0402 | | |
| **Cingolo** | 0306 | | |

d) Oes unrhyw safle lle mae'n bosibl cael derbyniad da oddi wrth y ddau drosglwyddydd?

## 4.1                    Tebygolrwydd

1) Mae pecyn cyffredin o gardiau yn cael ei gymysgu ac rydych yn dewis cerdyn ar hap.
   Rhowch y tebygolrwydd fod y cerdyn:
   a) yn goch
   b) yn galon
   c) yn 3
   d) yn gerdyn llys (Jac, Brenhines neu Frenin)
   e) yn gerdyn nad yw'n cerdyn llys
   f) yn eilrif
   g) yn rhif sy'n llai na 6
      (a thybio bod Âs yn uwch na 6)
   h) yn Âs
   i) yn Âs Rhawiau.
      Rhowch eich atebion fel ffracsiynau yn eu termau isaf.

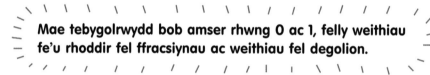

**Mae tebygolrwydd bob amser rhwng 0 ac 1, felly weithiau fe'u rhoddir fel ffracsiynau ac weithiau fel degolion.**

2) Ysgrifennwch, fel ffracsiwn, y tebygolrwydd y bydd y digwyddiadau hyn yn digwydd:
   a) taflu 5 â dis
   b) taflu eilrif â dis
   c) taflu rhif cysefin â dis
   d) taflu 0 â dis.

3) Mae bag yn cynnwys deg pêl. Mae pump yn goch, tair yn felyn a dwy yn belenni llygaid. Beth yw'r tebygolrwydd o dynnu allan:
   a) pêl felen
   b) pêl goch
   c) pelen lygad
   d) pêl goch neu belen lygad
   e) pêl las?

4) Un dydd roedd Sioned wedi cynnal arolwg yn ei dosbarth ar liw sanau. Gwelodd fod y disgyblion yn giwsgo sanau porffor, sanau gwyrdd streipiog, sanau melyn neu sanau coch. Meddai Emyr, 'Os dewisaf rywun ar hap o'r dosbarth, yna y tebygolrwydd ei fod yn gwisgo sanau coch yw 1/4.' Eglurwch pam y gallai Emyr fod yn anghywir.

**Cofiwch – dydych chi ddim yn gwybod faint o blant sy'n gwisgo sanau o bob lliw...**

5) Mae gan Nia focs esgidiau sy'n cynnwys 15 o bryfed, sef 8 pryf genwair, 4 chwilen a 3 mochyn coed. Beth yw'r tebygolrwydd y bydd hi'n tynnu allan ar hap:
   a) pryf genwair
   b) chwilen
   c) pryfyn nad yw'n fochyn coed?

# 4.1        *Tebygolrwydd*

**6)**    Mae Troellwr A wedi'i rannu'n 4 rhan hafal: coch, du, gwyn, pinc.

Mae Troellwr B wedi'i rannu'n dair rhan hafal: gwyn, coch, du.

**a)** Cwblhewch y siart isod yn dangos yr holl ganlyniadau posibl:

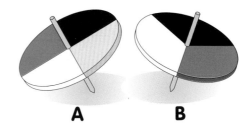

|  |  | Troellwr B | | |
|---|---|---|---|---|
| | | **Gwyn** | **Coch** | **Du** |
| **Troellwr A** | **Coch** | CG | | |
| | **Du** | | | |
| | **Gwyn** | | | GD |
| | **Pinc** | | | |

A           B

*Dylech ddefnyddio naill ai tabl fel hwn neu ddiagram canghennog (gweler y dudalen nesaf) i ysgrifennu'r holl 'ganlyniadau posibl' – allwch chi ddim colli rhai wedyn.*

**b)** Sawl canlyniad gwahanol sydd?

**c)** A thybio bod y troellwyr yn ddiduedd darganfyddwch debygolrwydd y canlynol:

    **i)**    y ddau droellwr yn dangos coch

    **ii)**    y ddau droellwr yn dangos yr un lliw

    **iii)**    o leiaf un troellwr yn dangos du

    **iv)**    dydy'r naill droellwr na'r llall ddim yn dangos gwyn

    **v)**    dydy'r canlyniad ddim yn cynnwys pinc.

    Rhowch eich atebion fel ffracsiynau yn eu termau isaf.

**d)** Pe bai'r arbrawf gyda'r ddau droellwr yn cael ei ail-wneud 12 tro, allech chi fod yn sicr y byddai'r canlyniad CC yn digwydd?

**e)** Pe bai'r arbrawf yn cael ei wneud drosodd a throsodd eto, beth allech chi ei ddweud ynglŷn â'r ffracsiwn:

$$\frac{\text{Nifer y troeon y gwelir CC}}{\text{Nifer y troeon y gwneir yr arbrawf}} \text{?}$$

*Os gofynnir am y tebygolrwydd NA fydd rhywbeth yn digwydd, mae hynny yr un fath â gofyn am y tebygolrwydd y bydd y pethau ERAILL yn DIGWYDD.*

**7)**    Mewn gêm barti, mae tocynnau â'r rhifau 1 i 100 arnynt yn cael eu rhoi mewn het ac mae'n rhaid eu tynnu allan â mwgwd dros eich llygaid. Byddwch yn ennill gwobr os dewiswch docyn â rhif yn diweddu â 7.

**a)** Beth yw P(ennill), a thybio mai unwaith yn unig y gallwch ddewis?

**b)** Beth yw P(peidio ag ennill), a thybio mai unwaith yn unig y gallwch ddewis?

**c)** Beth yw P(ennill unwaith yn unig), os gallwch ddewis <u>ddwywaith</u> a'ch bod yn dychwelyd eich tocyn ar ôl y dewis cyntaf?

    Rhowch eich atebion fel ffracsiynau yn eu termau isaf.

# 4.2     *Diagramau Canghennog*

1)   Y ddau atyniad mawr i dwristiaid ar ynys Monte del Fuego yw dolffiniaid a'r llosgfynydd. Mae Pedro'n cludo grŵp o dwristiaid yn ei gwch. Y tebygolrwydd y byddan nhw'n gweld dolffiniaid yw 2/5, a'r tebygolrwydd y daw mwg o'r llosgfynydd yw 1/3.

   **a)**   Cwblhewch y diagram canghennog isod:

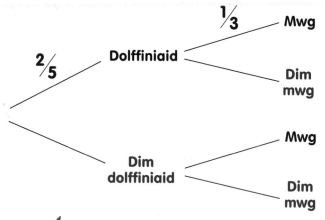

$$\frac{2}{5} \times \frac{1}{3} =$$

   **b)**   Beth yw'r tebygolrwydd:
     **i)**   na fydd y twristiaid yn gweld dolffiniaid na mwg
     **ii)**   y byddan nhw'n gweld dolffiniaid a mwg
     **iii)**   y byddan nhw'n gweld un yn unig o'r atyniadau hyn ond nid y ddau?

**Cofiwch – ar bob cyswllt bydd gan y canghennau unigol debygolrwyddau sy'n adio i 1.**

2)   **a)**   Cwblhewch y diagram canghennog hwn i ddangos y canlyniadau posibl o daflu darn arian diduedd deirgwaith yn olynol.

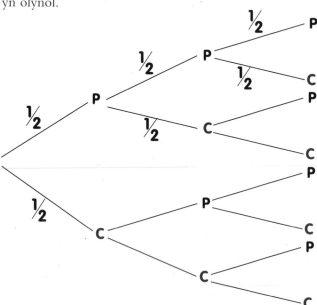

$$\frac{1}{2} \times \frac{1}{2} \times \frac{1}{2} =$$

   **b)**   Cyfrifwch y tebygolrwydd o gael:
     **i)**   3 Phen
     **ii)**   3 Phen neu 3 Chynffon
     **iii)**   2 Ben yn unig
     **iv)**   o leiaf 2 Ben
     **v)**   o leiaf 1 Pen.

# 4.2 *Diagramau Canghennog*

**Os rhoddir pethau i chi ar ffurf canrannau, <u>peidiwch â gofidio</u>... mae'n hawdd newid canrannau yn ffracsiynau neu'n ddegolion – ac yna byddwch yn gallu gweld beth sy'n digwydd.**

3) Ar Awyrennau Afallon, mae 15% o'r teithiau hedfan ar gyfartaledd yn hwyr yn ystod mis Awst. Mae Mr Jones yn teithio o Lundain i Paris, yna o Paris i Marseille, gan ddefnyddio dwy daith hedfan wahanol ar Awyrennau Afallon yn ystod mis Awst.

Defnyddiwch ddiagram canghennog i gyfrifo'r tebygolrwydd
(fel degolyn i 2 le degol):

a) na fydd yn hwyr o gwbl

b) y bydd y ddwy daith hedfan yn hwyr

c) y bydd un daith hedfan yn unig yn hwyr.

4) Yn Saffdre fis diwethaf roedd 22% o ymgeiswyr wedi methu'r prawf ysgrifenedig yn rhan o'u prawf gyrru. Gadawyd i'r gweddill sefyll y prawf ymarferol. O'r rhain pasiodd 35% y tro cyntaf.
A thybio bod y cyfraddau hyn yn parhau, beth yw'r tebygolrwydd y bydd Nic yn pasio'r prawf ysgrifenedig ond yn methu'r prawf ymarferol ar ei gynnig cyntaf?
(Rhowch eich ateb fel degolyn i 2 le degol.)

**Gwnewch yn siŵr fod eich diagram canghennog yn <u>stopio ar ôl methu'r prawf ysgrifenedig</u> – gan <u>na</u> all ymgeiswyr <u>sefyll y prawf ymarferol</u> nes y byddan nhw wedi <u>pasio'r prawf ysgrifenedig</u>.**

5) Mewn twba lwcus mae 10 tocyn coch a 20 tocyn gwyrdd. Gallwch ddewis <u>ddwywaith</u>. Ni fydd y tocynnau'n cael eu rhoi yn ôl yn y twba ar ôl eu tynnu allan.
Beth yw'r tebygolrwydd o ddewis

a) dau docyn coch

b) tocyn coch a thocyn gwyrdd
(mewn unrhyw drefn)

c) dau docyn o'r un lliw?

**<u>Ni chaiff y tocynnau eu dychwelyd</u> – felly bydd gennych lai o bosibiliadau yr ail dro.**

6) Mae'r 13 cerdyn Calonnau yn cael eu tynnu o becyn a'u cymysgu.
Gofynnir i chi ddewis unrhyw ddau gerdyn ar hap o'r 13 cerdyn Calonnau, heb eu dychwelyd.
Beth yw'r tebygolrwydd:

a) y bydd y ddau'n gardiau llys (Jac, Brenhines neu Frenin)

b) na fydd y naill na'r llall yn gerdyn llys

c) y bydd un yn unig yn gerdyn llys?

7) Mae cwmni catalog yn darganfod bod 8% o grysau a 5% o siwmperi, ar gyfartaledd, yn cael eu dychwelyd gan gwsmeriaid fel nwyddau diffygiol.
Mae Simon yn prynu crys a siwmper. Beth yw'r tebygolrwydd:

a) y bydd yn dychwelyd y ddau fel nwyddau diffygiol

b) y bydd yn dychwelyd y crys am ei fod yn ddiffygiol ond nid y siwmper?

# 4.3 Graffiau a Siartiau

Y peth pwysicaf gyda'ch llinell ffit orau yw gwneud yn siŵr bod gennych gynifer o bwyntiau ar y naill ochr i'r llinell ag sydd gennych ar yr ochr arall. Peidiwch â phoeni os nad oes llawer o bwyntiau ar y llinell, fe ddylen nhw fod ychydig yn flêr.

1) a) Plotiwch y canlyniadau hyn. Defnyddiwch y raddfa 1cm i 2km yn llorweddol ac 1cm i 5 munud yn fertigol.

| Pellter i'r gwaith | 2 | 5 | 6 | 8 | 9 | 12 | 13 | 16 | 17 | 20 |
|---|---|---|---|---|---|---|---|---|---|---|
| Amser cyfartalog a gymerir i fynd i'r gwaith (mun) | 6 | 11 | 14 | 29 | 28 | 34 | 37 | 56 | 50 | 55 |

b) Sut y byddech yn disgrifio'r CYDBERTHYNIAD rhwng yr amser a gymerir i fynd i'r gwaith a'r pellter i'r gwaith ar gyfer y grŵp hwn o bobl:
CYDBERTHYNIAD CRYF, CANOLIG, GWAN neu DDIM O GWBL?

2) Mae Marc yn gwylio gêm ddis rhwng Mared a Rhian, lle mae dau ddis yn cael eu taflu bob tro. Mae Marc yn nodi bob tro y caiff dwbl ei daflu (dwbl 1, dwbl 2, etc.). Dyma'r canlyniadau ar gyfer 100 o dafliadau:

| Nifer y tafliadau | 10 | 20 | 30 | 40 | 50 | 60 | 70 | 80 | 90 | 100 |
|---|---|---|---|---|---|---|---|---|---|---|
| Nifer y dyblau | 2 | 3 | 6 | 7 | 7 | 9 | 12 | 12 | 14 | 14 |

a) Plotiwch y canlyniadau hyn ar graff, gan ddefnyddio'r raddfa 1cm i 10 tafliad ar yr echelin lorweddol ac 1cm i 1 dwbl ar yr echelin fertigol.
b) Ceisiwch dynnu llinell ffit orau drwy'r pwyntiau hyn.
(Mae'n rhesymol gwneud iddi fynd drwy'r tarddbwynt.)
c) Cyfrifwch raddiant y graff hwn.
d) Os ydy $T$ yn dynodi 'Nifer y tafliadau' a bod $D$ yn dynodi 'Nifer y dyblau', ysgrifennwch hafaliad yn cysylltu $D$ a $T$ yn y ffurf $D = mT + c$.

3) Cofnododd Ceri ganlyniadau Gwehyddu Basgedi Safon Uwch ei hysgol am yr 8 mlynedd diwethaf:

| Nifer yr ymgeiswyr | 11 | 14 | 18 | 21 | 26 | 27 | 32 | 36 |
|---|---|---|---|---|---|---|---|---|
| Faint gafodd A neu B | 2 | 3 | 3 | 4 | 6 | 6 | 7 | 8 |

a) Plotiwch y canlyniadau hyn ar graff, gan ddefnyddio'r raddfa 1cm i 2 ymgeisydd ar yr echelin lorweddol (Nifer yr ymgeiswyr) a 2cm am bob ymgeisydd ar yr echelin fertigol (Graddau A neu B).
b) Tynnwch linell ffit orau (sy'n mynd drwy'r tarddbwynt).
c) Cyfrifwch raddiant eich llinell.
d) Os ydy $T$ yn dynodi 'Nifer yr ymgeiswyr' a bod $A$ yn dynodi 'Nifer y graddau A neu B', lluniwch hafaliad sy'n cysylltu $A$ a $T$ yn y ffurf $A = mT + c$.
e) Disgwylir i'r nifer mwyaf erioed o ymgeiswyr sefyll Gwehyddu Basgedi eleni, sef 48. Defnyddiwch eich hafaliad i amcangyfrif faint fydd yn cael graddau A neu B.
f) Pa dybiaethau rydych yn eu gwneud?

Yn syml, rydych yn tybio y gellir defnyddio canlyniadau blaenorol i ragfynegi canlyniadau yn y dyfodol...

# 4.3      Graffiau a Siartiau

4)    Mae Sali wedi gwneud troellwr o gerdyn a dylai 1/3 yn union ohono fod yn goch. Mae hi'n ei droi 60 gwaith, ac ar ôl pob 10 tro mae'n cofnodi nifer y troeon y mae wedi glanio ar goch hyd yma. Fodd bynnag, os nad ydy hi wedi mesur yr ongl yn gywir neu os nad ydy hi wedi torri'r cylch yn fanwl gywir gallai'r troellwr fod â THUEDD – h.y. efallai nad yw'n droellwr teg.

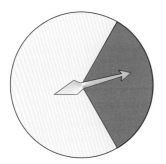

| Nifer y troeon | 10 | 20 | 30 | 40 | 50 | 60 |
|---|---|---|---|---|---|---|
| Nifer y troeon coch hyd yma | 3 | 11 | 13 | 19 | 26 | 29 |

    a)   Plotiwch graff o'i chanlyniadau (yn ôl y raddfa 1cm i 5 tro) a thynnwch linell ffit orau.

    b)   Hefyd tynnwch y llinell y byddech yn ei disgwyl yn ôl damcaniaeth tebygolrwydd. (A thybio nad oes tuedd.)

    c)   Beth ddylai ei chasgliad fod?

5)    Mae Abdul yn mynd i ysgol fawr mewn dinas lle mae llawer o ieithoedd yn cael eu siarad. Mae'n gwneud arolwg o ddisgyblion Blwyddyn 9 i ddarganfod pwy sy'n siarad pa famiaith. Dangosir y canlyniadau yn y tabl.

    a)   Cyfrifwch nifer y disgyblion ym Mlwyddyn 9.

    b)   Mewn siart cylch, faint o raddau y dylid eu defnyddio i gynrychioli 1 disgybl?

    c)   Cyfrifwch nifer y graddau sydd eu hangen i ddangos pob iaith, ac yna copïwch a chwblhewch y tabl.

| Mamiaith | Nifer y disgyblion | Graddau |
|---|---|---|
| Saesneg | 68 | |
| Wrdw | 12 | |
| Pwnjabeg | 28 | |
| Cantoneg | 8 | |
| Bengaleg | 16 | |
| Groeg | 8 | |
| Pwyleg | 4 | |

**Cofiwch y Rheol Aur... 360° yw cyfanswm popeth.**

    d)   Lluniwch siart cylch taclus a chlir â radiws o 5cm i ddangos y wybodaeth hon.

6)    Incwm blynyddol y teulu Ifans yw £27000. Y llynedd roedd eu cyllideb yn edrych fel hyn:

    a)   Os ydy'r wybodaeth hon i gael ei dangos ar siart cylch, faint o arian y bydd 1° yn ei gynrychioli?

    b)   Gwnewch dabl o'r wybodaeth gan gynnwys colofn ar gyfer yr onglau angenrheidiol ar y siart cylch.

    c)   Lluniwch siart cylch clir â radiws o 6cm.

| | |
|---|---|
| Bwyd | £4800 |
| Costau llety | £3450 |
| Gwasanaethau tŷ | £1800 |
| Hamdden/Gwyliau | £2400 |
| Yswiriant | £900 |
| Dillad | £1200 |
| Atgyweirio ac addurno | £600 |
| Teithio | £2250 |
| Treth, Yswiriant Gwladol a Phensiwn | £8100 |
| Cynilion | £1500 |

# 4.3 _Graffiau a Siartiau_

7) Mae deg teulu'n byw yn Rhodfa'r Dail. Mae 1 teulu heb unrhyw blant, mae gan 2 deulu 1 plentyn yr un, mae gan 3 theulu 2 blentyn yr un, mae gan 1 teulu 3 phlentyn, mae gan 2 deulu 4 plentyn yr un ac mae gan 1 teulu 5 plentyn.

a) Ydyn ni'n delio yma â data arwahanol neu ddata di-dor?

b) Plotiwch y wybodaeth ar siart bar.

**Cofiwch – ystyr <u>arwahanol</u> yw <u>nid yn ddi-dor</u>.**

8) Galwyd y busnes atgyweirio ceir Ffwrddachi i ddelio â 1800 o geir oedd wedi torri i lawr tra'n teithio. Cynhaliwyd arolwg o'r rhesymau dros y galwadau. Gwelir y canlyniadau ar y dde.

a) Gwnewch dabl i ddangos y wybodaeth hon, gan gynnwys colofn ar gyfer yr <u>onglau</u> angenrheidiol ar siart cylch. Talgrynnwch bob ongl i'r radd agosaf.

b) Lluniwch siart cylch, radiws 6cm, i ddangos y wybodaeth hon.

| | | |
|---|---|---|
| Allan o danwydd | 241 |
| Angen help i newid olwyn | 94 |
| Ffanbelt | 322 |
| Colli dŵr | 283 |
| Colli olew | 90 |
| Trydanol | 345 |
| Diffyg mecanyddol mawr | 121 |
| Brêcs | 59 |
| Problemau eraill | 245 |

9) Cynhaliodd Trenau Trawsgwlad arolwg o brydlondeb. Un diwrnod cafodd y 20 trên a gyrhaeddodd Gorsaf Trellwynog eu monitro, a chofnodwyd faint o funudau yn hwyr yr oeddent.

**MUNUDAU'N HWYR**

| 4 | 0 | 2 | 17 | 10 | 8 | 6 | 0 | 1 | 24 |
|---|---|---|---|---|---|---|---|---|---|
| 1 | 7 | 2 | 22 | 6 | 0 | 14 | 11 | 12 | 0 |

**(Roedd dau drên yn hwyr iawn – y naill oherwydd damwain a'r llall oherwydd iddo dorri i lawr.)**

Lluniwch siart bar i gofnodi'r data hyn drwy grwpio'r amserau fel a ganlyn:

$$0 \leqslant t < 5, \ 5 \leqslant t < 10, \ 10 \leqslant t < 15, \ 15 \leqslant t < 20, \ 20 \leqslant t < 25,$$

lle mae $t$ = nifer y munudau y mae'n hwyr.

10) Gofynnwyd i'r bobl oedd yn ymweld â Pharc Thema Sgrechle i nodi eu hoff atyniadau, a dangosir y chwe uchaf ar y siart cylch isod.

Talgrynnwyd nifer y bobl i'r 1000 agosaf, ac mae 10° ar y siart cylch yn cynrychioli 1000 o ymwelwyr. Trwy ddefnyddio onglydd i fesur yr onglau ar y siart cylch, cwblhewch y tabl i ddangos faint o bobl a nododd bob un fel eu 'Hoff Atyniad'.

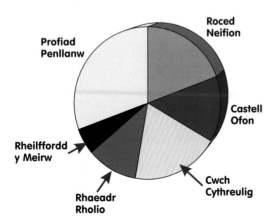

| 'Hoff Atyniad' | Graddau ar y siart | Nifer y bobl |
|---|---|---|
| Roced Neifion | | |
| Castell Ofon | | |
| Cwch Cythreulig | | |
| Rhaeadr Rholio | | |
| Rheilffordd y Meirw | | |
| Profiad Penllanw | | |

# 4.4       *Cyfartaleddau*

1)     Dangosir isod meintiau esgidiau 30 o blant ysgol. Beth yw modd a chanolrif y meintiau esgidiau?

| 4 | 2 | 3 | 4 | 4 | 5 | 4 | 2 | 4 | 3 |
|---|---|---|---|---|---|---|---|---|---|
| 2 | 1 | 3 | 1 | 3 | 2 | 5 | 3 | 2 | 3 |
| 3 | 2 | 3 | 2 | 4 | 6 | 7 | 2 | 3 | 1 |

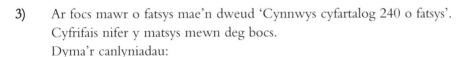

**Cofiwch roi'r data mewn trefn esgynnol cyn cychwyn.**

2)     Darganfyddwch ganolrif, modd, cymedr ac amrediad y data canlynol:
     a)   15, 13, 11, 9, 7, 10, 0, 0, 1, 3
     b)   6, 2, 3, 3, 5, 4, 4, 5, 3
     c)   8, 8, 8, 8, 8
     d)   1, 3, 2, 4, 2, 4, 2, 4, 2

3)     Ar focs mawr o fatsys mae'n dweud 'Cynnwys cyfartalog 240 o fatsys'.
     Cyfrifais nifer y matsys mewn deg bocs.
     Dyma'r canlyniadau:

          241    244    236    240    239    242    237    239    239    236

     Ydy'r label ar y bocs yn gywir? Defnyddiwch y cymedr, y canolrif a'r modd ar gyfer niferoedd y matsys
     i egluro eich ateb.

**Beth yw ystyr hyn i gyd...**
**Maen nhw'n disgwyl i chi wybod <u>pa gyfartaledd i'w</u>**
**<u>ddefnyddio pan fydd</u>... felly cofiwch <u>beth yw</u> pob un.**

4)     Mae Gari'n gweithio bob dydd Sadwrn. Mae'n ennill £3.20 yr awr. Mae'n credu bod y rhan fwyaf o'i
     ffrindiau yn ennill mwy. Dyma restr o faint mae ei ffrindiau'n ei ennill yr awr.

| | | | |
|---|---|---|---|
| Lisa | £3.10 | Siôn | £4.00 |
| Catrin | £3.75 | Carys | £2.90 |
| Helen | £3.51 | Awen | £3.75 |
| Ben | £3.75 | Rhian | £3.40 |

     Trwy gyfrifo'r cymedr, y canolrif a'r modd ar gyfer cyflog
     ei ffrindiau, darganfyddwch ydy Gari'n iawn.

5)     Mewn dosbarth o 25 o ddisgyblion dros gyfnod o 30 o sesiynau
     ysgol, mae niferoedd y sesiynau y bu pob disgybl yn absennol
     wedi'u nodi yn y tabl gyferbyn.
     a)   Cyfrifwch nifer <u>CYMEDRIG</u> y sesiynau absennol am bob
        disgybl.
     b)   Rhestrwch y data mewn trefn a darganfyddwch
        <u>GANOLRIF</u> y sesiynau absennol am bob disgybl.
     c)   Faint o ddisgyblion sydd â nifer y sesiynau absennol yn <u>uwch</u>
        na'r cymedr, a faint sy'n <u>is</u> na'r cymedr?

**SESIYNAU ABSENNOL**

| 0 | 1 | 0 | 0 | 5 |
|---|---|---|---|---|
| 18 | 3 | 2 | 2 | 3 |
| 0 | 0 | 1 | 1 | 4 |
| 3 | 2 | 5 | 20 | 0 |
| 1 | 2 | 24 | 2 | 3 |

# 4.5 *Tablau Amlder*

1) Dyma ganlyniadau arolwg o 20 disgybl, lle gofynnwyd iddynt sawl brawd a chwaer oedd ganddynt:

1, 0, 1, 3, 3, 4, 4, 3, 3, 1, 3, 2, 3, 0, 3, 2, 1, 0, 1, 2

Llenwch y siart marciau rhifo isod ar sail y rhestr hon o rifau, yna nodwch yr amlder ar gyfer pob categori yn y golofn olaf.

| NIFER Y BRODYR/CHWIORYDD | MARCIAU RHIFO | AMLDER |
|---|---|---|
| 0 | | |
| 1 | | |
| 2 | | |
| 3 | | |
| 4 | | |
| CYFANSWM | | |

**Cofiwch groesi pob rhif wrth i chi ei roi yn y siart marciau rhifo...**

2) Mae Ysgol Arilan yn rhoi i'w hymgeiswyr Mathemateg TGAU y llyfr adolygu 'Math Yma Teg', ac mae Ysgol Isfan yn defnyddio'r llyfr 'Dai a Dai ar Wyliau'. Mae'r disgyblion yn y ddwy ysgol yn astudio'u llyfrau adolygu am 3 mis, yna maen nhw'n sefyll ffug arholiadau. Mae'r canlyniadau wedi'u crynhoi isod:

**YSGOL ARILAN**

| Sgôr (%) | 1-20 | 21-40 | 41-60 | 61-80 | 81-100 |
|---|---|---|---|---|---|
| Nifer y disgyblion | 13 | 32 | 68 | 63 | 29 |
| Canol Cyfwng | | | | | |
| Nifer y disgyblion × Canol Cyfwng | | | | | |

**YSGOL ISFAN**

| Sgôr (%) | 1-20 | 21-40 | 41-60 | 61-80 | 81-100 |
|---|---|---|---|---|---|
| Nifer y disgyblion | 15 | 48 | 76 | 40 | 18 |
| Canol Cyfwng | | | | | |
| Nifer y disgyblion × Canol Cyfwng | | | | | |

a) Gan ddefnyddio'r raddfa 1cm i 10 marc yn llorweddol ac 1cm i 10 disgybl yn fertigol, lluniwch ddau bolygon amlder ar yr un echelinau i gynrychioli'r data.

**Defnyddiwch liwiau gwahanol ar gyfer y ddau bolygon amlder, er mwyn osgoi drysu.**

b) Gan ddefnyddio gwerthoedd canol cyfwng (10.5, 30.5, 50.5, etc.) amcangyfrifwch <u>sgôr gymedrig</u> pob ysgol.

c) Ydy hyn yn profi bod 'Math Yma Teg' yn well llyfr na 'Dai a Dai ar Wyliau'? Eglurwch.

# 4.5 Tablau Amlder

3)  Mae proffil oed poblogaeth Tirlan wedi'i gynnwys yn y tabl amlder isod:

| Oed | Amlder (%) | Canol Cyfwng | Amlder × Canol Cyfwng |
|---|---|---|---|
| 0 - 9 | 10.7 | 4.75 | 10.7 × 4.75 = 50.8 |
| 10 - 19 | 13.0 | 14.5 | 13.0 × 14.5 = 188.5 |
| 20 - 29 | 13.2 | 24.5 | |
| 30 - 39 | 14.4 | | |
| 40 - 49 | 12.0 | | |
| 50 - 59 | 11.3 | | |
| 60 - 69 | 11.0 | | |
| 70 - 79 | 9.0 | | |
| 80 - 89 | 4.9 | | |
| 90 - 99 | 0.5 | | |

a)  Cwblhewch y tabl a'i ddefnyddio i amcangyfrif oed <u>CYMEDRIG</u> y boblogaeth (i 1 lle degol).
b)  Pa gyfwng sy'n cynnwys y gwerth canolrifol?
c)  Pa un yw'r dosbarth moddol?

**Gwnewch yn siŵr eich bod yn gwybod dull y Gwerthoedd Canol Cyfwng ar gyfer amcangyfrif y Cymedr – mae'n gwestiwn cyffredin mewn arholiadau ac mae'n werth cael y marciau.**

4)  Mae proffil oed gwlad arall, Tiryde, yn wahanol iawn:

| Oed | Amlder (%) | Canol Cyfwng | Amlder × Canol Cyfwng |
|---|---|---|---|
| 0 - 9 | 27.2 | | |
| 10 - 19 | 22.7 | | |
| 20 - 29 | 17.3 | | |
| 30 - 39 | 12.4 | | |
| 40 - 49 | 9.9 | | |
| 50 - 59 | 6.0 | | |
| 60 - 69 | 2.9 | | |
| 70 - 79 | 0.8 | | |
| 80 - 89 | 0.6 | | |
| 90 - 99 | 0.2 | | |

a)  Defnyddiwch dechneg y canol cyfwng i gyfrifo oed cymedrig y boblogaeth.
b)  Pa gyfwng sy'n cynnwys oed canolrifol y boblogaeth?
c)  Pa un yw'r dosbarth moddol?

**ADRAN 4 — YSTADEGAU**

# 4.5 Tablau Amlder

5) Mae gan gwmni bach 93 gweithiwr, ac mae eu cyflogau wedi'u crynhoi yn y tabl:

| Cyflog (£) | Nifer y Gweithwyr | Canol Cyfwng | Amlder × Canol Cyfwng |
|---|---|---|---|
| 0 ≤ C < 5000 | 0 | | |
| 5000 ≤ C < 10000 | 29 | | |
| 10000 ≤ C < 15000 | 31 | | |
| 15000 ≤ C < 20000 | 16 | | |
| 20000 ≤ C < 25000 | 8 | | |
| 25000 ≤ C < 30000 | 5 | | |
| 30000 ≤ C < 35000 | 2 | | |
| 35000 ≤ C < 40000 | 2 | | |

a) Cwblhewch y tabl a defnyddiwch dechneg y canol cyfwng i amcangyfrif y cyflog <u>cymedrig</u> (i'r £100 agosaf).

b) Ym mha gyfwng dosbarth y mae'r gwerth canolrifol?

c) Pa un yw'r <u>dosbarth moddol</u>?

**Dyma ni eto – mwy o ymarfer Dull y Gwerthoedd Canol Cyfwng... mae'n rhaid i chi allu gwneud y rhain, felly daliwch ati ar y tudalennau hyn nes y byddwch yn gallu eu gwneud.**

6) Mae gan gwmni arall broffil cyflogau fel a ganlyn:

| Cyflog (£) | Amlder (%) | Canol Cyfwng | Amlder × Canol Cyfwng |
|---|---|---|---|
| 0 ≤ C < 5000 | 0 | | |
| 5000 ≤ C < 10000 | 2 | | |
| 10000 ≤ C < 15000 | 30 | | |
| 15000 ≤ C < 20000 | 28 | | |
| 20000 ≤ C < 25000 | 17 | | |
| 25000 ≤ C < 30000 | 10 | | |
| 30000 ≤ C < 35000 | 5 | | |
| 35000 ≤ C < 40000 | 4 | | |
| 40000 ≤ C < 45000 | 2 | | |
| 45000 ≤ C < 50000 | 2 | | |

a) Cwblhewch y tabl gan ddangos <u>gwerthoedd canol cyfwng</u> ar gyfer y cyflogau, a defnyddiwch hyn i amcangyfrif y cyflog <u>cymedrig</u>.

b) Ym mha gyfwng y mae'r cyflog <u>canolrifol</u>?

c) Pa un yw'r dosbarth moddol?

d) Beth yw amrediad y data?

# 4.6      *Amlder Cronnus*

1) Cafodd arolwg ei wneud yn Ysgol Amfodma i weld faint o olion traed a smotiau inc roedd y myfyrwyr wedi'u cael ar eu llyfrau mathemateg yn ystod yr wythnos flaenorol. Mae nifer y marciau wedi'u cynnwys yn y tabl amlder isod:

| Marc | 0-10 | 11-20 | 21-30 | 31-40 | 41-50 | 51-60 | 61-70 | 71-80 | 81-90 | 91-100 |
|---|---|---|---|---|---|---|---|---|---|---|
| Amlder | 0 | 5 | 8 | 13 | 44 | 70 | 30 | 9 | 4 | 2 |
| Amlder Cronnus | | | | | | | | | | |

a) Cwblhewch y tabl amlder drwy gofnodi'r amlder cronnus.

b) Lluniwch graff amlder cronnus, gyda'r raddfa 1cm i 10 marc yn llorweddol ac 1cm i 25 o fyfyrwyr yn fertigol.

c) Ar sail eich graff, amcangyfrifwch nifer canolrifol y marciau, y chwartelau uchaf ac isaf a'r amrediad rhyngchwartel.

**Lluniwch y <u>Gromlin Amlder Cronnus</u> yn ofalus iawn bob tro — bydd <u>cromlin lefn</u> nid yn unig yn <u>edrych yn dda</u>, ond hefyd bydd yn ei gwneud hi'n haws <u>cael yr ateb yn gywir</u>.**

2) Mae uwchfarchnad yn cofnodi gwariant 120 o gwsmeriaid, wedi'u dewis ar hap. Dyma'r canlyniadau:

| Gwariant (£) | hyd at 20 | 21 - 40 | 41 - 60 | 61 - 80 | 81 - 100 | 101 - 120 | 121 - 140 |
|---|---|---|---|---|---|---|---|
| Amlder | 25 | 36 | 24 | 17 | 10 | 6 | 2 |
| Amlder Cronnus | | | | | | | |

a) Cwblhewch y tabl drwy lenwi rhes yr amlder cronnus.

b) Lluniwch graff amlder cronnus, gan ddefnyddio'r raddfa 1cm i £10 yn llorweddol ac 1cm i 10 cwsmer yn fertigol.

c) Amcangyfrifwch y canolrif, y chwartelau isaf ac uchaf a'r amrediad rhyngchwartel.

# 4.6 Amlder Cronnus

3) Ar fferm ffrwythau mae'r afalau'n cael eu graddoli yn ôl eu pwysau fel a ganlyn:

| Pwysau (g) | 50 ≤ P < 100 | 100 ≤ P < 125 | 125 ≤ P < 150 | 150 ≤ P < 175 | 175 ≤ P < 200 | 200 ≤ P < 250 |
|---|---|---|---|---|---|---|
| % o'r afalau | 7 | 14 | 22 | 26 | 18 | 13 |
| Amlder Cronnus | | | | | | |

a) Llenwch res yr amlder cronnus yn y tabl.
b) Lluniwch graff amlder cronnus gan ddefnyddio'r raddfa 1cm i 25 gram yn llorweddol ac 1cm i 10% yn fertigol.
c) Ar sail eich graff, amcangyfrifwch bwysau canolrifol yr afalau.
d) Mae'r cwmni ffrwythau'n penderfynu labelu'r 25% mwyaf o'r afalau yn 'MAWR', y 25% lleiaf yn 'BACH' a'r gweddill yn 'CANOLIG'. Beth fydd
   i) y pwysau lleiaf ar gyfer afal 'MAWR'
   ii) y pwysau mwyaf ar gyfer afal 'BACH'?

**Cofiwch blotio pwyntiau ar ben uchaf y dosbarth – y ffin dosbarth uwch... gallai hyn ymddangos yn ddibwys, ond byddwch yn colli marciau os na wnewch hyn. Felly, mae'n well ei wneud.**

4) Mewn ymgais i leihau nifer y gweithwyr sy'n dioddef o straen llygaid yn y gwaith, penderfynodd rheolwr ymchwilio i faint o arian roedd pob un wedi'i wario ar gêmau cyfrifiadurol dros y flwyddyn ddiwethaf. Cofnodwyd y canlyniadau mewn 8 band gwario, fel yr isod:

| £miloedd | 0 ≤ G < 5 | 5 ≤ G < 10 | 10 ≤ G < 15 | 15 ≤ G < 20 | 20 ≤ G < 25 | 25 ≤ G < 30 | 30 ≤ G < 35 | 35 ≤ G < 40 |
|---|---|---|---|---|---|---|---|---|
| Nifer y gweithwyr | 5 | 34 | 19 | 7 | 4 | 3 | 0 | 2 |
| Amlder Cronnus | | | | | | | | |

a) Cwblhewch y tabl amlder cronnus.
b) Lluniwch graff amlder cronnus gan ddefnyddio'r raddfa 2cm i £5000 yn llorweddol ac 1cm i 5 gweithiwr yn fertigol.
c) Ar sail eich graff amcangyfrifwch y swm canolrifol a wariwyd, y chwartelau uchaf ac isaf a'r amrediad rhyngchwartel.